BELLA!
ITALIA

69

Stefano Zuffi

Bella!
ITALIA

Translated from the Italian by
Natalie Danford

SASSI

p. 2: Le alte e colorate case di Camogli, storico porto della Riviera di levante, in Liguria.
A fianco: Il Foro Romano dal portico degli Dei Consenti: la veduta si allarga fino a raggiungere, da destra a sinistra, le tre colonne del tempio dei Dioscuri, l'Arco di Tito (a destra), la chiesa di Santa Francesca Romana, e alle sue spalle il Colosseo.
p. 6: Le cupole della basilica del Santo a Padova.
p. 7: Veduta aerea della Certosa di Pavia, con l'abside e il tiburio della chiesa e, sulla destra, i due chiostri.
pp. 8-9: L'alto campanile della chiesa parrocchiale e le casette colorate di Burano, nello scenario della laguna di Venezia.

p. 2: The tall and colorful houses of Camogli, an antique port on the Riviera di Levante in Liguria.
Opposite: The Roman Forum seen from the Portico degli Dei Consenti: The view includes, from right to left, the three columns of the Tempio dei Dioscuri, the Arch of Titus (at right), the church of Santa Francesca Romana and behind it the Colosseum.
p. 6: The domes of Saint Anthony's Basilica in Padua.
p. 7: Aerial view of the Charterhouse of Pavia, with the church apse and the base of the cupola and, at right, the two cloisters.
pp. 8-9: The soaring bell tower and colorful houses of Burano set against the Venice lagoon.

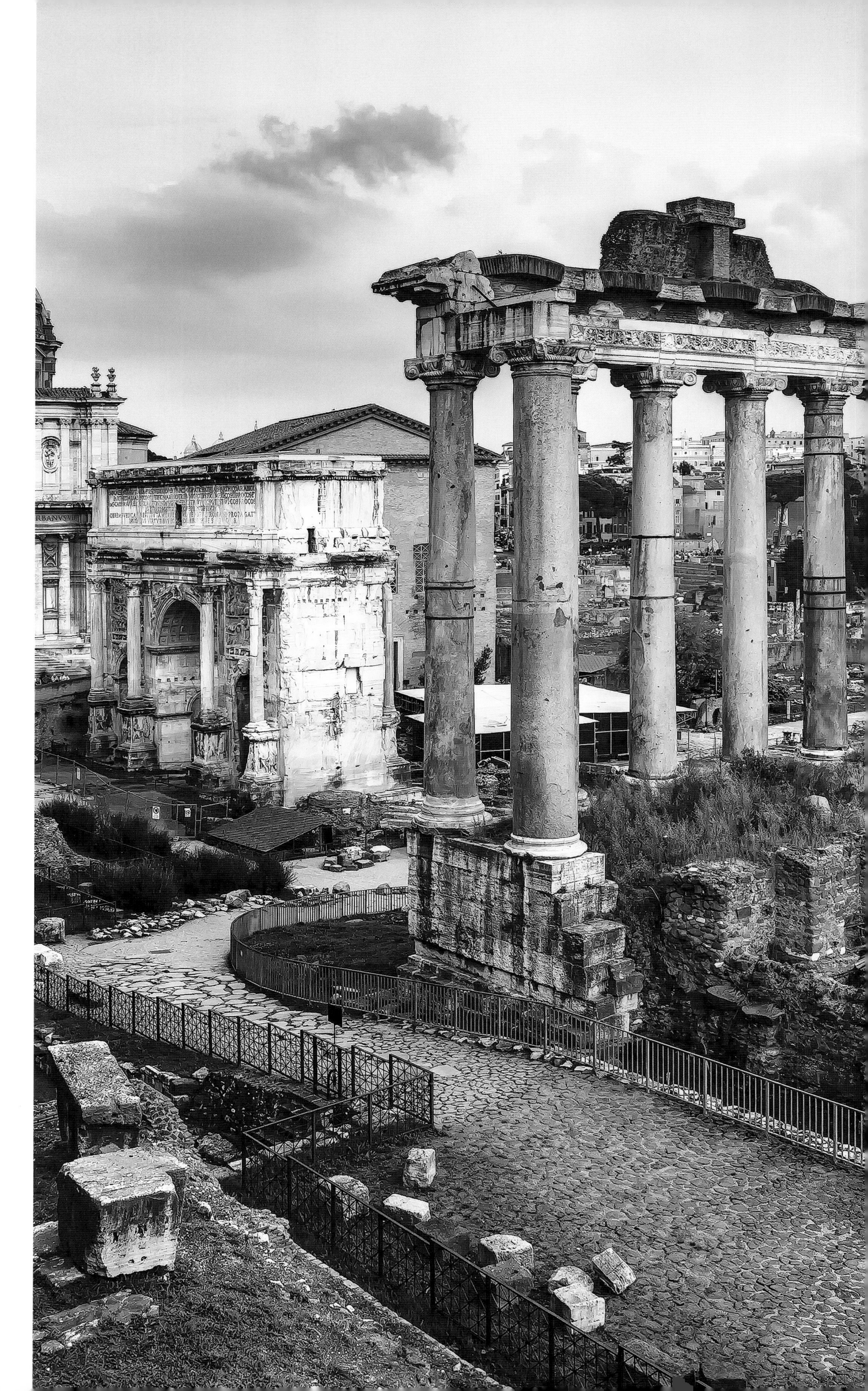

A fianco: I meravigliosi mosaici pavimentali della Villa del Casale a Piazza Armerina, complesso romano nel cuore della Sicilia.
pp. 12-13: Il tempio dorico di Segesta, eloquente memoria della cultura greca in Sicilia.

Opposite: Striking floor mosaics in the Villa del Casale in Piazza Armerina, a Roman villa in the heart of Sicily.
pp. 12-13: The Doric temple in Segesta eloquently recalls the era when Sicily was under Greek rule.

Pubblicato per la prima volta in Italia
nel 2011 da Sassi Editore Srl
Seconda edizione © agosto 2014
Terza edizione © marzo 2016
Quarta edizione © ottobre 2017
Ristampa © febbraio 2018

Sassi Editore Srl, viale Roma 122/b,
36015 Schio (VI)
tel +39 0445 523772
www.sassieditore.it, info@sassieditore.it

Visitate il sito www.sassieditore.it
per sapere dove trovare i nostri libri.

Coordinamento editoriale: Luca Sassi
Revisione testi: Natalie Lanaro
Progetto grafico: Matteo Gaule

A fianco: Dalle acque del Lago di Resia, all'estremità settentrionale dell'Alto Adige, spunta il campanile gotico di Curon coperto dalle acque in occasione della realizzazione del bacino artificiale.
pp. 16-17: Il pulpito romanico della cattedrale di Ravello, in Campania, rivestito di mosaici duecenteschi.

Opposite: The Gothic bell tower of Curon rises out of the water of Lake Reschen in the northernmost part of Alto Adige. Creation of the artificial lake left most of the building underwater.
pp. 16-17: The Romanesque pulpit of the cathedral of Ravello, in the Campania region, is covered in 12th-century mosaics.

Sommario - Contents

A. Valle d'Aosta - Val d'Aosta
B. Piemonte - Piedmont
C. Lombardia - Lombardy
D. Emilia Romagna - Emilia Romagna
E. Trentino Alto Adige - Trentino Alto Adige
F. Friuli Venezia Giulia - Friuli Venezia Giulia
G Veneto - Veneto
H. Liguria - Liguria
I. Toscana - Tuscany
J. Umbria - Umbria
K. Marche - Marche
L. Abruzzo - Abruzzo
M. Molise - Molise
N. Lazio - Latium
O. Campania - Campania
P. Puglia - Apulia
Q. Basilicata - Basilicata
R. Calabria - Calabria
S. Sicilia - Sicily
T. Sardegna - Sardinia
1. Aosta - Aosta
2. Torino - Turin
3. Novara - Novara
4. Cuneo - Cuneo
5. Como - Como
6. Milano - Milan
7. Pavia - Pavia
8. Cremona - Cremona
9. Mantova - Mantua
10. Brescia - Brescia
11. Bergamo - Bergamo
12. Piacenza - Piacenza
13. Parma - Parma
14. Modena - Modena
15. Bologna - Bologna
16. Ferrara - Ferrara
17. Ravenna - Ravenna
18. Bolzano - Bolzano
19. Trento - Trento
20. Udine - Udine
21. Verona - Verona
22. Padova - Padua
23. Vicenza - Vicenza
24. Castelfranco - Castelfranco
25. Venezia - Venice
26. Sanremo - Sanremo
27. Savona - Savona
28. Genova - Genoa
29. Pisa - Pisa
30. Livorno - Livorno
31. Firenze - Florence
32. Siena - Siena
33. Arezzo - Arezzo
34. Perugia - Perugia
35. Spoleto - Spoleto
36. Urbino - Urbino
37. Ancona - Ancona
38. L'Aquila - L'Aquila
39. Pescara - Pescara
40. Campobasso - Campobasso
41. Viterbo - Viterbo
42. Roma - Rome
43. Anzio - Anzio
44. Caserta - Caserta
45. Napoli - Naples
46. Benevento - Benevento
47. Salerno - Salerno
48. Foggia - Foggia
49. Barletta - Barletta
50. Trani - Trani
51. Bari - Bari
52. Brindisi - Brindisi
53. Lecce - Lecce
54. Taranto - Taranto
55. Potenza - Potenza
56. Cosenza - Cosenza
57. Crotone - Crotone
58. Catanzaro - Catanzaro
59. Reggio Calabria - Reggio Calabria
60. Messina - Messina
61. Catania - Catania
62. Siracusa - Syracuse
63. Ragusa - Ragusa
64. Agrigento - Agrigento
65. Trapani - Trapani
66. Palermo - Palermo
67. Sassari - Sassari
68. Cagliari - Cagliari
69. Nuoro - Nuoro
70. Olbia - Olbia

INTRODUZIONE - INTRODUCTION

Da molti secoli i poeti, i letterati, i viaggiatori cercano di descrivere l'emozione, il carattere, la magia dell'Italia. Il grande storico dell'arte francese André Chastel ha proposto una formula brevissima ed efficace: l'Italia, per lui, è un "museo diffuso".

È una definizione che merita di essere analizzata e aggiornata. In che senso l'Italia è un "museo"? Se l'Italia, tutta intera, può essere visitata come un museo, allora questo museo deve essere vitale, attraente, confortevole. Non un "tempio" delle Belle Arti, in cui si entra con un po' di soggezione, quanto piuttosto uno spazio attivo, dove la nostra attualità dialoga con il passato, dove la cultura e la bellezza sono messe a disposizione di tutti, dove ciascuno di noi ha la possibilità di ritrovare frammenti della propria anima, assaporando il terreno in cui affondano le nostre radici: in breve, un posto dove si sta bene.

In che senso questo museo è "diffuso"? In questo aggettivo va forse cercata la chiave più efficace per comprendere, visitare e amare l'Italia. Tutti conoscono le principali città d'arte italiane, e l'immagine dei monumenti più celebri o di aspetti caratteristici del paesaggio è familiare, ma la più autentica e profonda caratteristica dell'Italia consiste nella distribuzione di meraviglie artistiche e naturali in ogni angolo della nazione. Qui sta davvero la fortuna dell'Italia.

L'Italia è una nazione molto giovane: ha raggiunto l'unità faticosamente, solo nel 1861, e non mancano tuttora tensioni e insofferenze verso lo Stato centrale. Così come nei millenni remoti si possono individuare diversi popoli e culture, dopo la caduta dell'Impero romano (476 d.C.), per quasi un millennio e mezzo, l'Italia è stata divisa in stati territoriali a volte piccolissimi, e spesso in varie sue parti conquistata da potenze straniere: al suo centro stava sempre Roma, punto di riferimento spirituale e potenza terrena per la presenza del papa.

Nel corso dei secoli, dal medioevo degli orgogliosi liberi Comuni (celebrati nella *Divina Commedia* di Dante Alighieri, forse il massimo "monumento" che l'Italia abbia donato al mondo) agli splendori assoluti del Rinascimento, dall'esuberanza barocca fino alle soglie dello Stato unitario, ogni città d'Italia ha voluto manifestare la propria autonomia attraverso opere d'arte e di architettura, promuovendo una "immagine" diversa rispetto ai centri rivali. La varietà delle espressioni artistiche, delle scelte architettoniche e delle scuole locali italiane, soprattutto nel periodo che va dal Duecento al Settecento, non ha davvero paragoni in alcuna altra nazione del mondo.

Nonostante le divisioni e le guerre, tuttavia, dalle Alpi fino all'estremità della penisola, comprese le grandi isole mediterranee, era diffusa la percezione di far parte di una comune identità culturale. Non minore è la varietà geografica. Osservando qualsiasi mappa dell'Europa è facilissimo riconoscere l'Italia, allungata al centro del mare e agganciata al continente grazie alla solidissima catena delle Alpi. Questa morfologia ospita, in realtà, una varietà enorme di situazioni ambientali, paesaggistiche e meteorologiche: che diventano anche abitudini culturali, agricole, gastronomiche, abitative. Si va infatti dai ghiacciai delle montagne più alte d'Europa ai giardini mediterranei del meridione, dalle meravigliose colline gentilmente "antropizzate" di Umbria e Toscana alla vasta pianura formata dal Po e costellata di campi e

For centuries, poets, writers and travelers have been attempting to describe the feeling, the character and the magic of Italy. The great French art historian André Chastel provided a pithy phrase that captures the country: He calls Italy an "open-air museum."

This definition should be considered and updated. In what sense is Italy a "museum"? If all of Italy may be visited like a museum, then it's quite a lively, appealing and comfortable museum. It is *not* some temple to the Fine Arts, but a space that is evocative and active and where there is ongoing dialogue with the past. A place where culture and beauty are available to all and each of us has a chance to connect in a meaningful way, experiencing the land of our roots. In short, a place that feels good.

And what is "open-air" about this museum? That description may contain the key to understanding, visiting and loving Italy. Everyone knows Italy's major *città d'arte,* or art cities, and everyone has seen pictures of the most famous buildings and shots of the familiar landscape, but the most authentic and most deeply rooted characteristic of Italy is the distribution of artistic and natural wonders in every corner of the nation. That is truly Italy's fortune.

Italy is a young country. It was not easily unified, and the country of Italy was founded only in 1861. Today, there is still tension and often resentment toward the central government. As was the case thousands of years ago, you can still see different peoples and cultures all over Italy. After the fall of the Roman Empire (476 A.D.), Italy was divided into city-states for almost 1,500 years. Some of these were tiny, and as such they were vulnerable to being conquered by foreign powers. Rome always stood at the center of it all, a focal point for both spirituality and power because of the pope's presence there.

Over the following centuries, from the Middle Ages to the era of the proud free communes (celebrated in Dante's *Divine Comedy* and perhaps Italy's greatest gift to the world) to the absolute splendor of the Renaissance, from the lively Baroque period to the creation of the unified republic, every city in Italy has expressed its autonomy through works of art and architecture, creating a different "image" than its rival cities. The variety of artistic expression and architectural choices made by local Italian schools, especially from the 1200s to the 1700s, has no equals in any other country in the world.

Despite the battles and wars, however, there is something of a common cultural identity that exists from the Alps all the way down to the southern tip of the mainland and on the large Mediterranean islands. Geography plays a part, too. Looking at the map of Europe, it's easy to spot Italy, stretched out in the middle of the sea and attached to the continent by the solid Alps. Yet Italy contains a very wide variety of different types of environments, landscapes and climates, and those naturally translate into different cultural, farming, eating and lifestyle habits. Without leaving Italy, you can go from the icy caps of the highest mountains in Europe to the Mediterranean gardens of the South, from the beautiful anthropized hills of Umbria and Tuscany to the vast plain formed by the Po river and bordered by fields and orchards, from the surprisingly high and wooded

frutteti, dalle inaspettate vette impervie e boscose dell'Italia centrale all'infinita varietà delle coste: migliaia di chilometri di un nastro che scorre in riva al mare, immerso nei colori.

Come trovare una possibile formula riassuntiva? Forse, nella luce. È questo il segreto che si schiudeva ai viaggiatori del *Grand Tour*. Sia che scendessero dai faticosi passi della Svizzera, sia che sbarcassero in un porto del Tirreno o dell'Adriatico, i viaggiatori venivano sempre accolti da una luminosità particolare, dall'incanto di panorami limpidi in cui la natura si accompagna con i segni dell'uomo. E non tardavano a scoprire nella mutabilità del paesaggio quelle linee segrete di armonia, di giusti rapporti tra le forme, le distanze, le dimensioni e i colori che gli architetti e i pittori hanno poi saputo interpretare e riprodurre.

Gli edifici più monumentali, come pure gli aspetti paesaggisti più spettacolari, sono sempre in una perfetta armonia con la realtà circostante, che nemmeno la disordinata crescita industriale degli anni del boom economico ha saputo incrinare. Persino i paesaggi più spettacolari, come le Dolomiti (per molti, le più belle montagne del mondo) o il mare purissimo della Sardegna, sembrano corrispondere a questa ricerca di una dimensione amabile, accogliente, gradevole. È un dono del cielo, ma anche un impegno per l'uomo: per questo, durante il Rinascimento artisti e scienziati hanno definito con aggettivi carichi di significato le soluzioni creative e le regole della prospettiva: ecco il sogno di una città "ideale", di una sezione "aurea" degli elementi geometrici, di una "divina" proporzione. Sono gli strumenti di Leonardo e di Raffaello, di Michelangelo e di Tiziano. E poiché la "misura" fisica e intellettuale dell'uomo – inserito nello spazio naturale come in quello architettonico – è quella su cui è in gran parte costruita l'arte italiana, ecco che in molti ambienti italiani ci si sente davvero "a casa".

È l'antica lezione dell'umanesimo, un'utopia realizzata, un "luogo" della mente e dell'anima, degli occhi e del cuore. Nonostante le differenze di epoche, stile, materiali, in Italia troverete sempre, forte e sereno, il senso dell'uomo capace di costruire la propria storia. La memoria dell'antico, sempre a portata di mano, non si è perduta, e si esprime attraverso una "qualità" del prodotto, uno stile inconfondibile che si rispecchia nell'attuale "made in Italy".

Questo volume percorre l'Italia dall'estremità settentrionale, incastonata fra le Alpi, fino ai litorali che si affacciano nel cuore del Mediterraneo. Per comprensibili ragioni di ordine, abbiamo seguito la sequenza delle venti regioni amministrative, la cui forma e dimensione è in parte ovviamente definita dalla geografia, ma in parte anche dalle vicende della storia. Nonostante alcune chiavi di lettura e di raccordo, certamente la prima impressione sarà quella di una estrema, quasi stordente varietà: tra tanti esempi significativi di città e di campagne, e soprattutto di monumenti e complessi urbani, può inizialmente sembrare difficile trovare un filo conduttore nella straordinaria ricchezza dello scenario italiano. Ma basterà sfogliare il libro una seconda volta per cominciare a riconoscere l'armonia che lega insieme le immagini, come le note su uno spartito, come le pietre annodate in un'unica, luminosa collana.

peaks of central Italy to the infinite variety along the coasts—thousands of miles of ribbon that run along the sea with its lapping water and startlingly intense colors.

How can anyone possibly summarize all of this? Perhaps the one factor that links them all is the light. That's certainly what struck travelers on the Grand Tour. Whether they came over the difficult mountain passes from Switzerland or disembarked at a port on the Tyrrhenian Sea or the Adriatic Sea, those travelers were always welcomed by a special luminosity, by the enchanting sight of landscapes in which nature and man cohabited peacefully. Studying those landscapes further, they discovered the harmony and the pleasing relationships between shapes, distance, size and colors that architects and painters also saw and then reproduced.

The most impressive buildings, like the most spectacular landscapes, are always in perfect harmony with their surroundings. Even the out-of-control industrial growth of the boom years couldn't ruin that side of Italy. The country's most spectacular natural sites, such as the Dolomites (often deemed the most beautiful mountains in the world) and the clear sea around Sardinia, almost seem designed to provide a human-scale, welcoming and pleasant environment. Italy provides a kind of satisfaction that both comes to the country naturally and is a result of man's effort. During the Renaissance, artists and scientists used a number of adjectives to describe their creative solutions and the rules of perspective that they formulated, giving rise to the dream of an "ideal" city, a "golden ratio" for geometric elements and "divine" proportion. Those were the tools used by Leonardo da Vinci, Raphael, Michelangelo and Titian. Because the physical and intellectual measure of a man inserted into natural space—just as a work of architecture is—underlies much of Italian art, we feel "at home" in many Italian environments.

This is the ancient lesson of Humanism, a utopia created, a "place" of mind and soul and eyes and heart. Despite the different eras, styles and materials, in Italy you will always find a sense of man, strong and serene, capable of building his own history. The memory of the ancient is ever present in Italy and never far from mind. It is even expressed in the superior quality and unmistakable style of items that wear the "made in Italy" label today.

This volume covers all of Italy, from the northernmost part, in the shadow of the Alps, to the shores that face the heart of the Mediterranean. The book is organized by Italy's twenty official regions, whose shape and size is partly determined by geography and partly by history. Though they do have certain things in common, you are sure to be struck by their amazing variety and the many, many examples of city and countryside, and especially buildings and city plans. It may be hard for you to locate a thread that runs through the extraordinary richness that Italy has to offer. But if you take the time to read through this book a second time, you'll begin to recognize the harmony that all the images share. They do fit together, like the notes of a musical score, or like a series of gems strung on a single, glittering necklace.

A FIANCO: LO SPETTACOLO DEL BACINO DI SAN MARCO E DELL'INCOMPARABILE AMBIENTE URBANO DI VENEZIA.

OPPOSITE: A SPECTACULAR VIEW OF THE BAY OF SAN MARCO AND THE UNIQUE URBAN ENVIRONMENT OF VENICE.

Valle d'Aosta - Val d'Aosta

Sotto le vette più alte
Below the highest peaks

La più piccola regione italiana, incastrata sotto le vette più alte delle Alpi, è celebre per la incontaminata bellezza della natura, per le escursioni sulle vette, per le stazioni sciistiche internazionali. Ma lungo la valle si incontrano anche monumenti e opere d'arte, frutto della millenaria storia di passaggio attraverso le Alpi, punto di snodo verso il mondo linguistico e culturale francese.

L'arte valdostana ha una caratteristica che la distingue nettamente da quella del resto d'Italia: è quasi completamente anonima. I numerosi castelli gotici, le chiese grandi e piccole ad Aosta, cicli di affreschi interni ed esterni, mosaici pavimentali, sequenze di sculture, altari scolpiti, lavori squisiti di oreficeria non sono quasi mai il frutto di un singolo maestro dall'identità definita, ma appartengono piuttosto a una cultura locale diffusa. Aosta, il cui nome deriva dall'imperatore Augusto, è una città sorprendente: è infatti il capoluogo italiano in cui risulta meglio percepibile l'impianto architettonico romano, grazie alla conservazione di imponenti monumenti imperiali, delle mura e dell'intero tracciato urbanistico. La recente ed efficace sistemazione dei musei cittadini permette di ricostruire le tracce della romanità e della prima età cristiana, un'eredità raccolta a cavallo dell'anno Mille, da sant'Anselmo, vescovo di Aosta dal 994 al 1026. Personaggio-chiave della storia e dell'arte regionali, Anselmo avvia una serie di iniziative commerciali, culturali ed edilizie. Oltre al Duomo di Aosta, dalla bella mole romanica caratterizzata da due campanili absidali, una seconda importante fondazione è la chiesa di Sant'Orso, destinata, con il chiostro e il Priorato, a diventare per secoli il più importante cantiere artistico della valle. Nel sottotetto di Sant'Orso restano ampie porzioni di una splendida decorazione ad affresco di epoca ottoniana, risalente al periodo del vescovo Anselmo, all'inizio dell'XI secolo, uno dei più importanti cicli "alpini" di arte medievale. Circa un secolo dopo l'esecuzione degli affreschi, il complesso monumentale di Sant'Orso si arricchisce di un altro ciclo figurativo, questa volta scolpito. Nel 1133, per impulso del vescovo Erberto, viene costruito e decorato il chiostro romanico. I quaranta capitelli superstiti costituiscono una straordinaria sequenza: un complesso monumentale che sottolinea la virtù più caratteristica dell'arte valdostana, il sapore della narrazione, la capacità di articolare un lungo percorso visivo con sapienti alternanze di ritmo, di tecnica e di stile.

Dopo questi formidabili capolavori dell'XI e del XII secolo nel capoluogo, l'arte in Val d'Aosta si diffonde nelle campagne e sulle alture, soprattutto nei cento e trenta castelli che punteggiano ovunque il panorama, legati soprattutto al dominio dei signori di Challant. Dalle arcigne rocche a dominio sul territorio fino agli edifici residenziali concepiti come minuscole e raffinate corti tardogotiche, i castelli della Val d'Aosta sono un prezioso patrimonio di storia e di arte. All'interno delle robuste e pittoresche strutture di pietra si aprono spesso cicli di affreschi, arredi, ferri battuti di altissima qualità. Il periodo felice culmina con le iniziative signorili e galanti di Giorgio di Challant, priore di Sant'Orso dal 1468 al 1509. Per sua iniziativa il maniero di Issogne diventa un fiabesco castello di sogno destinato alla cugina Margherita di Challant, mentre la residenza di città, il Priorato di Sant'Orso, si arricchisce di elegantissimi fregi in cotto. Con le committenze di Giorgio di Challant la pittura valdostana raggiunge il vertice dell'ultimo gotico, cortese, fascinoso ed elitario.

Val d'Aosta is Italy's smallest region, and it nestles under the highest peaks of the Alps. Val d'Aosta is known best for its pure and beautiful natural setting, and visitors to Val d'Aosta are often intent on mountain climbing or skiing at one of its internationally popular ski areas. But the valley that gives the region its name is also home to interesting attractions and artworks left from the time when ancient roads passed here to go through the Alps, making it a meeting point for French culture and language.

The art of Val d'Aosta has a specific characteristic that distinguishes it from that of every other region in Italy: It is almost entirely anonymous. Hardly any of the many Gothic castles and the small and large churches in Aosta, the cycles of interior and exterior frescoes, floor mosaics, sculptures, carved altars and pieces of beautiful gold work are the work of a single artist whose identity has been determined; instead, they belong to the local culture at large. Aosta, named for Emperor Augustus, is a city with much to offer. To start, it is the Italian city with the best preserved Roman plan. Buildings and the walls and the urban grid from that era have been maintained. The city's recently refurbished museums lead visitors through the history of the Roman and early Christian eras. This period, around the year 1000, was propelled largely by Saint Anselm, who was bishop of Aosta from 994 to 1026. A key personality in the region's art and history, Anselm started up a series of commercial, culture and construction initiatives. In addition to the cathedral of Aosta, a beautiful Romanesque structure with two bell towers, there is the Church of Sant'Orso with cloister and priorate. For many years, the most important artistic work in the valley was done here. On the upper floor at Sant'Orso you can still see large portions of spectacular frescoes from the Ottonian era, dating back to the time when Anselm was bishop, at the start of the 11th century. This is one of the major "alpine" cycles of Medieval art. About one century after the frescoes had been painted, the Sant'Orso complex gained another figurative cycle, this one sculpted. In 1133, at the request of Bishop Herbert, the Romanesque cloister was constructed and decorated. The forty surviving capitals are truly extraordinary and as a group represent the greatest virtues of the art of this region: narrative impulse and the ability to articulate a long line of sight with expert control of rhythm, technique and style.

After viewing these formidable 11th- and 12th-century artworks in the region's capital, you can visit the art of Val d'Aosta that is spread around the countryside and up into the mountains, especially in the 130 castles that dot the landscape here, most of them linked to the reign of the Challant family. From grim forts that loom over the area to residential buildings designed as small, elegant late Gothic courts, the castles of Val d'Aosta are a precious legacy of both history and art. Inside the sturdy and picturesque stone buildings are fresco cycles, furnishings and wrought-iron works of the highest quality. This happy period culminated with the chivalrous initiatives taken by Giorgio di Challant, prior of Sant'Orso from 1468 to 1509. At his directive, Issogne Castle became a castle fit for a fairy tale for his cousin Margherita di Challant, while his city residence, the priorate of Sant'Orso, was embellished with beautiful terra cotta friezes. Giorgio di Challant also commissioned paintings that were perfect examples of the painting of Val d'Aosta with its Gothic, courtly, charming and refined style.

A fianco: Il paese di Saint-Pierre si dispone a terrazze sul fianco della valle della Dora. La chiesa parrocchiale conserva il campanile romanico, mentre dall'alto vigila il robusto castello medievale (la fondazione risale all'XI secolo), con l'arcigno maschio quadrato ingentilito dal cammino di ronda e dalle torricelle angolari.
Pp. 24-25: Con i suoi 4478 metri il Cervino si trova al confine tra Italia e Svizzera. È per altezza la terza vetta delle Alpi, ma senza dubbio è la più bella dell'intero settore occidentale. A differenza dei massicci del Monte Bianco e del Monte Rosa, il picco del Cervino si staglia ripido e affascinante. La scalata alla cima è avvenuta per la prima volta nel 1865, ed è ritenuta una delle più impegnative dell'intero arco alpino.

Opposite: The town of Saint-Pierre sits on terraces that run along the Dora river valley. The parish church contains a Romanesque bell tower. Above it sits the enormous Medieval castle (construction began in the 11th century), which features a square, stern keep softened by a parapet and corner turrets.
pp. 24-25: The Matterhorn, which has an elevation of 4,478 meters, is located on the border between Italy and Switzerland. While the Matterhorn is only the third tallest mountain in the Alps, it is surely the most beautiful in the eastern part of the range. The Matterhorn's sharp, steep peak visibly differs from those of Mont Blanc and Monte Rosa. The mountain was summited for the first time in 1865 and it is still considered the most difficult of the Alps to climb.

Il castello di Fénis
Eretto a più riprese tra il 1340 e il 1420, circondato da una doppia cerchia di mura e affiancato da numerose torri di diversa forma e altezza, il castello di Fénis è uno dei più famosi e scenografici della valle. Sorge sul fondovalle, in un luogo privo di difese naturali: non si trattava di un maniero difensivo, ma della splendida sede della potente dinastia feudale degli Challant. La cappella e il cortile interno sono decorati da importanti affreschi tardogotici.

Fénis Castle
Built in stages from 1340 to 1420, surrounded by a double wall and paired with multiple towers of different shapes and heights, the Fénis Castle is one of the most famous and most picturesque in the valley. It rises from the bottom of the valley, a location free of natural defenses. It was built not for defensive purposes, but as the beautiful home for the feudal dynasty of the Challant family. The chapel and internal courtyard are decorated with beautiful late Gothic frescoes.

IL TEATRO ROMANO E SANT'ORSO AD AOSTA

Il centro storico di Aosta reca l'inconfondibile impronta dell'urbanistica romana. All'ottima conservazione di numerosi monumenti (l'arco di Augusto, le mura, il teatro qui visibile in primo piano) si unisce la continuità urbanistica degli edifici in pietra sorti su fondamenta romane, e l'uso dei medesimi materiali: l'alto campanile romanico della chiesa di Sant'Orso si integra perfettamente nel contesto di rocciose montagne e di rustica architettura valligiana.

THE ROMAN THEATER AND SANT'ORSO IN AOSTA

The historic center of Aosta shows the unmistakable imprint of a Roman city plan. Many monuments are well preserved, including the Arch of Augustus, the walls and the theater that take center-stage here. Buildings were constructed on Roman foundations and using the same materials. The tall Romanesque bell tower of the Church of Sant'Orso is a perfect fit with the rocky mountainous background and the rustic architecture typical of the valley.

Piemonte - Piedmont

Le "delizie" dei Savoia e il piacere della lentezza
The delights of the House of Savoy and the pleasure of Slow Food

Il nome della regione, che definisce il territorio alle pendici delle montagne, richiama subito lo sfondo monumentale delle Alpi, una presenza indispensabile per comprendere il carattere dell'arte e della cultura piemontese, con il passaggio graduale dalle vette innevate alle colline di vigneti e castelli fino alla vasta e apparentemente immobile pianura delle città e delle risaie, solcata dal Po.

Il Piemonte è diventato negli ultimi anni il punto di riferimento dello "slow food", che non è solo un modo intelligente per apprezzare le caratteristiche della produzione agricola, viticola e gastronomica, ma un vero e proprio stile di vita. Per gustare davvero i molti piaceri che il Piemonte può offrire non bisogna avere fretta. Certo, non mancano panorami e monumenti che si impongono prepotentemente all'attenzione: tuttavia, a differenza di quanto avviene in altre regioni d'Italia, il "sapore" del Piemonte si rivela lentamente. In questo senso, anche le vicende storiche possono offrire una chiave di lettura. Torino è stata la prima capitale dell'Italia unita, i Savoia la dinastia reale, eppure è arrivata tardi sul palcoscenico della Storia. Pur conservando nel tracciato urbano e in alcuni monumenti il segno della fondazione romana, fino al XVI secolo inoltrato Torino era davvero un centro minore. Poi, con la crescita lenta e costante del ruolo del Regno di Sardegna nelle vicende politiche italiane ed europee, grazie alle committenze artistiche dei Savoia, Torino adotta soluzioni urbanistiche mutuate dalla vicina Francia e diventa un avanzato laboratorio dell'architettura fra barocco e rococò. Il Seicento, insieme al regolare tracciato delle strade porticate e delle piazze regolari, vede salire alla ribalta il genio di Guarino Guarini, autore nel cuore di Torino di alcune fra le più spregiudicate architetture del Seicento europeo, come la cupola della cappella della Sacra Sindone o Palazzo Carignano. La successiva fase architettonica settecentesca trova un protagonista assoluto nel siciliano Filippo Juvarra, che lascia a Torino i capolavori di una carriera sviluppata anche in altre città italiane e all'estero. Con un moto centrifugo, intorno a Torino si irraggia la "corona delle delizie": la basilica di Superga, la reggia di Venaria, l'immenso e incompiuto castello di Rivoli, la raffinatissima palazzina di caccia di Stupinigi.

Spostandosi dal capoluogo verso l'esplorazione del territorio, abbiamo l'occasione di scoprire i molti volti diversi della regione. La scelta è davvero vasta, a cominciare dalla zona collinare del Piemonte meridionale, con le Langhe, il Monferrato e il Roero: zone che sono celebri per la produzione di vini pregiatissimi, ma che conservano importanti tracce di una storia antica, con i castelli baronali inerpicati sulle alture e il fascino delle "piccole capitali" come Saluzzo, Alba o Casale, ricche di monumenti e di atmosfera. Importante è poi recuperare il senso del dipanarsi delle antiche strade, come quella che dal confine con la Francia raggiunge la Val Padana scendendo dal valico di Susa: tracciati medievali che si possono ricostruire ricalcando la rete delle abbazie. Oppure, i bacini azzurri dei laghi, che fin dal Settecento sono mete di una villeggiatura signorile. Città storiche come Asti, Vercelli e Novara, che per lunghi decenni sono state viste solo come dei "satelliti" agricoli schiacciati dalla vicinanza dei centri industriali di Torino e di Milano, stanno ritrovando negli ultimi anni tutta la bellezza di centri storici tranquilli, nei quali si trovano monumenti sorprendenti, ma dove soprattutto si torna ad apprezzare un'atmosfera umana sobria ma affettuosa, mai concitata.

The very name of this region, which indicates that the area is located at the foot of mountains, immediately calls to mind the imposing backdrop of the Alps. Indeed, if you want to understand the character of Piedmont's art and culture, you should always keep these mountains in mind. In this region, you can go from snow-capped peaks to castles and vineyards set in the hills to the vast and seemingly stock-still plain with its cities and rice fields and the Po river running through it.

In recent years, Piedmont has earned renown as the birthplace of the "slow food" movement, which is more than just a thoughtful method for appreciating local products and wine and food—it's a complete lifestyle. To experience many of the pleasures that Piedmont has to offer, you need to slow down. Of course, there's no lack of views and buildings that will call your attention. That said, Piedmont reveals its spirit more slowly than Italy's other regions. Some historic background can help you understand Piedmont: Turin was the first capital of a united Italy and home to the royal House of Savoy, yet it came to play a starring role in history at a relatively late stage. Although today's Turin and its buildings do still show some traces of its Roman foundation, until the 16th century, Turin was really a small town. Then, as the Kingdom of Sardinia slowly grew and took on an increasingly central role in Italian and European politics, the members of the House of Savoy became patrons of the arts and Turin began to adopt certain cultural trends from nearby France. The city became a kind of avant-garde laboratory for architecture from the Baroque to Rococo eras. In the 17th century, not only were the streets covered in porticoes and piazzas created, but Guarino Guarini entered the spotlight. Guarini designed some of the most original works of architecture in Europe in the 17th century, including the dome of the Chapel of the Holy Shroud and Palazzo Carignano. The next 17th-century architectural phase revolved around Sicilian Filippo Juvarra, who created masterpieces in Turin after a career in other Italian cities and abroad. A series of architectural works that surround Turin are known as the "crown of delights" and include the Basilica of Superga, the Royal Palace of Venaria, the enormous and incomplete castle of Rivoli and the very elegant Stupinigi hunting lodge.

As you move from the region's capital to explore the rest of the area, Piedmont reveals its many different facets. There's a vast choice of things to see, beginning with the southern Piedmont hills and the Langhe, Monferrato and Roero areas. These are all famous for producing very fine wines, but they also have remnants of ancient history, with baronial castles perched high in the hills and the charm of small cities, such as Saluzzo, Alba and Casale, rich in both sights and atmosphere. Be sure to experience the winding ancient roads, such as the road that runs from the French border to the Padano Valley through the Susa mountain pass, a route that dates back to the Middle Ages. You can travel this route from abbey to abbey. Or visit the bright blue lakes that have been destinations for well-off vacationers since the late 1700s. Historic cities such as Asti, Vercelli and Novara that were once seen only as agricultural "satellites" overshadowed by nearby industrial cities Turin and Milan have recently been rediscovered. The beauty of their quiet historic centers is much admired. These places do offer some unusual buildings, but likely what you will appreciate most is their tranquil atmosphere, and the way they keep to a human scale and eschew chaos completely.

A fianco: La basilica di Superga, voluta dai Savoia e realizzata dall'architetto messinese Filippo Juvarra come santuario votivo per la vittoria contro i Francesi, domina lo scenario naturale intorno a Torino. Costruita su pianta centrale con un'alta cupola di gusto barocco e un pronao classicheggiante, la Basilica costituisce un punto di riferimento e una meta di passeggiate ben evidente nel panorama della città e della piana circostante.

Opposite: The Basilica of Superga, commissioned by the House of Savoy and built by Messina architect Filippo Juvarra as a votive sanctuary in honor of victory over the French, looms over Turin's natural surroundings. Built around a central structure with a tall Baroque-style cupola and a classical style pronao, the basilica helps those walking around the city orient themselves—and sometimes it serves as their destination—as it is always visible.

A fianco: La Mole Antonelliana
Sull'ordinata scacchiera del centro storico di Torino si staglia la Mole Antonelliana, simbolo della città. Alta oltre 167 metri, è una delle costruzioni in muratura più alte d'Europa. Progettata nel 1863 come sinagoga dal fantasioso e coraggioso architetto Alessandro Antonelli, ospita oggi un divertente e ricchissimo Museo del Cinema. Un ascensore conduce al tempietto sulla sommità della cupola, punto di vista incomparabile sulla città e sulla cerchia delle montagne che la circondano.
pp. 34-35: La Venaria Reale
Il restauro e la valorizzazione della splendida reggia di Venaria Reale ha restituito a Torino una gemma della cosiddetta "corona di delizie", le residenze barocche disposte radialmente intorno alla città. Nata nel 1660 come villa per le battute di caccia della corte, la Venaria è stata trasformata in una superba reggia barocca intorno al 1715 da Filippo Juvarra. Fulcro dell'ampliamento è la Galleria di Diana, qui riprodotta, un passaggio di luce e di stucchi lungo 80 metri e alto 12 che conduce alla stupenda cappella ottagonale dedicata a sant'Uberto, il patrono dei cacciatori.

Opposite: Mole Antonelliana
The Mole Antonelliana sits in Turin's orderly historic center and is one of the major symbols of the city. The building is 167 meters tall and is one of the tallest masonry buildings in Europe. While innovative and creative architect Alessandro Antonelli designed the building as a synagogue in 1863, today it houses the National Museum of Cinema. Visitors can take an elevator up to the top of the dome, where they are treated to an incredible view of both the city and the surrounding mountains.
pp. 34-35: Palace of Venaria
The recently restored and duly celebrated Palace of Venaria is one of the eye-catching jewels in Turin's so-called "crown of delights," the city's network of Baroque royal residences. The palace was built in 1660 and intended as a villa to be used for royal hunting parties. In approximately 1715, Filippo Juvarra transformed it into a Baroque palace. The Royal Residence of Diana, the heart of the complex, is shown here: an 80-meter long and 12-meter high passageway featuring light and stucco work leads to the beautiful octagonal chapel dedicated to Saint Hubertus, patron saint of hunters.

pp. 36-37: Il castello del Valentino
Iniziato nel 1630 da Carlo e Amedeo di Castellammonte in una splendida posizione nel parco a dominio del corso del Po a pochi passi dal centro di Torino, il Castello del Valentino presenta una singolare ed efficace sintesi tra le caratteristiche del barocco francese (come i tetti ad alti e spioventi) e il gusto italiano della decorazione.
A fianco: La palazzina di Stupinigi
Capolavoro di Filippo Juvarra, eretta alle porte di Torino a partire dal 1729 come punto di riferimento delle battute di caccia dei Savoia, la palazzina di Stupinigi è uno dei più importanti contributi italiani al rococò internazionale. Attorno ad un corpo centrale, costituito da un salone ovale sul cui tetto spicca la statua di un cervo, la pianta del complesso si sviluppa lungo otto linee di fuga a formare una stella. I chiari volumi, nati dalla ripetizione di forme semplici, portano ad una perfetta fusione dell'architettura con l'ambiente circostante, in accordo con la destinazione dell'edificio.

pp. 36-37: Castle of Valentino
The Castle of Valentino, begun in 1630 by Carlo and Amedeo di Castellammonte, enjoys a picturesque location in a park along the Po river and just a few steps from the center of Turin. The castle combines the French Baroque (tall sloping roofs) and Italian decorative styles.
Opposite: Hunting Residence of Stupinigi
This hunting residence, a masterpiece by Filippo Juvarra, was built just outside Turin in 1729. The House of Savoy used it for hunting parties. The residence is one of the best Italian examples of international rococo style. Designed around a central oval main hall with a statue of a stag on its rooftop, the complex extends out along eight long hallways that form a star. Clear-cut areas and the repetition of simple geometric shapes make the building a perfect match with its surrounding natural environment, in harmony with the building's intended purpose.

Il Lago Maggiore
Per i viaggiatori internazionali che dalla Svizzera scendevano dalla strada del Sempione, l'aprirsi del bacino azzurro del Lago Maggiore offriva la prima immagine dell'Italia. Davanti ai grandi alberghi *liberty* di Stresa si trovano le Isole Borromee, singolare feudo della nobile famiglia milanese. L'isola dei Pescatori (qui in secondo piano) è occupata da un pittoresco paesino, mentre l'Isola Bella presenta il grandioso palazzo Borromeo e il suo meraviglioso giardino barocco con statue, terrazzamenti, torri e siepi che seguono l'andamento architettonico.

Lake Maggiore
International travelers who travel the Simplon Pass out of Switzerland are greeted by the sight of the deep-blue basin of Lake Maggiore upon entering Italy. In front of the great Liberty-style hotels of Stresa are the Borromean Islands, the domain of a single noble Milanese family. The Isola dei Pescatori (shown here in the background) is the site of a small village, and Isola Bella is home to the Borromeo palace and its lovely Baroque garden with statues, terraces, towers and hedges that all work with the architecture of the building itself.

L'ISOLA DI SAN GIULIO NEL LAGO D'ORTA

Vuole la leggenda che san Giulio sia approdato sull'isola stendendo il proprio mantello sulle acque del lago d'Orta. Immersa nella silenziosa pace di un paesaggio rimasto intatto, l'isola ha mantenuto attraverso i secoli l'aspetto di una cittadella sacra, soprattutto grazie alla presenza della millenaria basilica romanica, sovrastata da un possente campanile.

SAN GIULIO ISLAND IN LAKE ORTA

Legend has it that Saint Julius—San Giulio in Italian—reached this island by using his cloak as a raft and floating over the waters of Lake Orta. In the peaceful serenity of this untouched landscape, the island has maintained the air of a sacred place over the centuries, enhanced further by its ancient Romanesque basilica topped by an imposing bell tower.

Il castello di Grinzane Cavour
Il duecentesco castello di Grinzane è stato a lungo di proprietà della famiglia di Camillo Benso, grande artefice del Risorgimento italiano, che proprio da questo possedimento ha preso il titolo di conte di Cavour. Robusto quadrilatero di mattoni, il castello domina le colline delle Langhe, affacciandosi sui celebri vigneti di uve pregiatissime.

Grinzane Cavour Castle
The 13th-century castle in Grinzane Cavour was for many years owned by the family of Camillo Benso, a key figure in the Italian Risorgimento, or unification, who acquired the title of Count Cavour. The castle, with its brick walls, looms over the hills of the Langhe region and looks over several different highly regarded vineyards.

Lombardia - Lombardy

La riscoperta del passato

Rediscovering the past

Quando si parla di Milano e della Lombardia la prima immagine che viene in mente è quella della produzione industriale, degli affari, dell'operosità. In tempi recenti, forse anche della moda e dello *shopping* griffato in via Montenapoleone e dintorni. Non è difficile, seguendo questa strada, costruirsi l'idea del tutto sbagliata che la Lombardia sia una regione soltanto moderna, grigia e sostanzialmente monotona, a parte alcuni centri storici come Bergamo e l'affascinante Mantova dei Gonzaga, città bellissime ma sostanzialmente autonome, staccate dal resto della regione. Non è affatto così: passati gli anni del boom economico e della crescita tumultuosa dei centri industriali, la Lombardia ha ritrovato i ritmi e il gusto di una regione storica nel cuore della pianura padana, in una posizione geografica chiave tra il Mediterraneo e la Mitteleuropa. Milano non si è mai qualificata come "città d'arte", e tuttavia dispone di un millenario patrimonio artistico, architettonico e museale. I monumenti della città dipanano il filo dei secoli in modo ininterrotto, partendo dalla remota epoca in cui Milano è stata capitale dell'Impero romano e centro propulsivo del Cristianesimo delle origini; e poi, le vicende del regno longobardo, la fase romanica delle stupende basiliche di mattoni, il Libero comune che sfidò l'imperatore Barbarossa, la signoria dei Visconti culminata con l'avvio del Duomo, gli Sforza committenti di Leonardo, il Cinquecento di san Carlo Borromeo, lo scenario "manzoniano" del Seicento, l'illuminato governo austriaco dell'imperatrice Maria Teresa, promotrice della Scala, la Milano napoleonica amata da Stendhal, l'epicentro del Risorgimento e poi del Futurismo, le realizzazioni del XX secolo, la sfida dell'Expo 2015. Se si riesce per una volta a rallentare il passo, in una città sempre malata di frenesia, si può davvero scoprire una "metropoli d'arte" di inesauribile ricchezza.

Milano si trova proprio al centro della Lombardia, e sembra che tutte le strade convergano verso questo punto gravitazionale. Ma non è sempre così. Abbiamo già accennato a Mantova, gioiello della storia circondato dalle acque del Mincio, e a Bergamo, soprattutto alla parte alta della città, chiusa nelle mura costruite dai veneziani. A queste dobbiamo aggiungere, quasi procedendo con moto centrifugo, seguendo il corso dei Navigli, dei fiumi e infine dei laghi, le tante città grandi, medie e piccole, i borghi antichi, le abbazie e i castelli dispersi tra le campagne, tra le coltivazioni e i boschi che si alternano sul territorio, per ricomporre pezzo per pezzo una vasta, complessa e fitta geografia culturale.

La fascia settentrionale e montana della regione presenta i valichi con la Svizzera e il Trentino: sotto, ai piedi delle Alpi, ecco i laghi: il Verbano, il lago di Varese, il Lario, il lago d'Iseo, il Garda, oltre a una costellazione di bacini minori, ai quali si lega una secolare villeggiatura. Como è la più grande tra le lombarde "città di lago", e mantiene nelle antiche chiese la memoria di quei "maestri comacini" che costituivano le più organizzate maestranze del romanico europeo.

Dai laghi, superata la fascia ondulata delle Prealpi, si arriva alla vasta pianura. Dai centri medievali di Cremona, Lodi o Crema, sorti intorno alla Cattedrale, si può passare all'architettura quattrocentesca della Certosa di Pavia o di Piazza Ducale a Vigevano. Oppure si possono visitare i castelli e i borghi murati a Pavia, a Soncino, Pandino, Pizzighettone, Malpaga. Chi cerca la suggestione delle abbazie medievali vada a Morimondo, Sant'Alberto di Butrio, a Rodengo o a San Benedetto Po. Chi vuole... qualunque cosa, tranne il mare, la troverà in Lombardia!

When people think of Milan and Lombardy, they think of industry, business and productivity. These days, they may also think of fashion and shopping for designer clothes on Via Montenapoleone and the other high-end streets. It's easy to get the wrong idea about Lombardy—that it's just a modern, gray and basically one-note region, aside from a few pretty cities such as Bergamo and Mantua with its Gonzaga family history. It's easy to assume that those beautiful places are basically worlds of their own, separate from the rest of the region. But don't be misled. When the economic boom and the tumultuous growth of Lombardy's industrial towns slowed, the region once again became known as a historic site in the heart of the Padano Plain, in a key geographic position between the Mediterranean and Central Europe. Milan has never been considered one of Italy's *città d'arte*, or art cities, yet it has incredible art, architecture and museums. The city's buildings represent an unbroken timeline of the centuries, starting with the days when Milan was the capital of the Roman Empire and an active center for spreading Christianity. Then came the reign of the Lombards, followed by the Romanesque era with its beautiful brick basilicas, then the free commune that challenged Emperor Barbarossa, the house of Visconti that reached its peak with the beginning of construction on the cathedral, the Sforzas who commissioned Leonardo da Vinci, the 16th century of Saint Charles Borromeo, the 17th century as described by Manzoni, the enlightened Austrian government of Empress Maria Theresa, supporter of the La Scala Theater, Napoleon-era Milan so loved by Stendhal, the epicenter of the Risorgimento and then of Futurism and then the 20th-century achievements and the challenge of World Expo 2015. If you can achieve the seemingly impossible and slow your pace in this ever-busy city, you'll discover not a *città d'arte*, but an entire metropolis full of art.

Milan is at the very center of Lombardy, and it seems as if all roads lead there, almost as if by gravitational pull. But there are plenty of other highlights in the Lombardy region. We've already mentioned Mantua, a historical gem surrounded by the water of the Mincio River. In Bergamo, the upper part of the city, which is enclosed by walls built by the Venetians, is of special interest. In addition, if you let yourself be moved by centrifugal force and follow the Navigli canals, the rivers and the lakes, you'll find many large, medium and small cities, ancient towns, abbeys and castles dotting the countryside amid farmland and wooded areas. The sum of these parts is a vast, complex and dense network.

The northern and mountainous part of the region has mountain passes that lead to Switzerland and Trentino. At the foot of the Alps sit the lakes: Lake Maggiore, in the province of Varese, Lario, Lake Iseo and Lake Garda, and then a constellation of smaller bodies of water that are long-time vacation spots. Como is the largest of Lombardy's "lake cities," and it contains ancient churches that preserve the memory of the Comacine masters who were the best organized practitioners of the European Romanesque style.

From the lakes, topped by the undulating Alpine foothills, move to the plain. Visit the Medieval towns of Cremona, Lodi and Crema, arranged around a cathedral, go on to the 15th-century architecture of the Charterhouse of Pavia or Vigevano's famed Piazza Ducale. The castles and walled towns of Pavia, Soncino, Pandino, Pizzighettone and Malpaga are not to be missed. For Medieval abbeys, go to Morimondo, Sant'Alberto di Butrio, Rodengo and San Benedetto Po. With the exception of the seashore, you can find anything you want in Lombardy.

A fianco: Il pittoresco ponte coperto di Pavia scavalca il Ticino. Ricostruito dopo le distruzioni belliche, risale al XIV secolo, e sottolinea la predilezione dei duchi Visconti per la città di Pavia, antica capitale del regno dei Longobardi e poi prestigiosa città universitaria. Nel cuore del centro storico si riconosce la mole del Duomo, articolato edificio rinascimentale alla cui progettazione contribuirono Bramante e Leonardo.

Opposite: The striking covered bridge of Pavia crosses the Ticino river. The bridge was rebuilt after being damaged in the war. It dates back to the 14th century and is evidence of the interest that the Visconti dukes showed in the city of Pavia, the ancient capital of the Lombards that then became an esteemed university town. In the heart of the historic center is the city's cathedral, a beautifully constructed Renaissance building designed with input from Bramante and Leonardo da Vinci.

A fianco: Il Duomo di Milano
Inconfondibile, grandiosa mole di marmo, il Duomo è il simbolo più noto e amato di Milano. L'interminabile costruzione della grande cattedrale prese avvio nel 1386, e si prolungò per circa cinque secoli, fino al completamento della facciata e dell'apparato decorativo. Si tratta di un monumento gotico dallo stile singolarissimo, praticamente unico in Italia, grazie agli apporti di architetti, scultori e maestri internazionali. Dall'alto della guglia maggiore, a 112 metri di altezza, spicca la dorata statua della Madonnina, simbolo della metropoli meneghina.
pp 50-51: La Galleria Vittorio Emanuele
L'innovativa stagione dell'architettura in ferro e vetro durante la seconda metà dell'Ottocento ha lasciato a Milano un autentico capolavoro: la Galleria Vittorio Emanuele, concepita per raccordare la piazza del Duomo con la piazza in cui sorgono il teatro alla Scala e il municipio della città. L'architetto Giuseppe Mengoni morì, cadendo dalle impalcature, poco prima dell'inaugurazione, nel 1877. Oggi la Galleria è il vero e proprio "salotto" della città.

Opposite: Milan Cathedral
This immense, unmistakable marble cathedral is Milan's most famous and most beloved building. Construction on the cathedral began in 1386, though it took a full five centuries for the facade and decorations to be completed. This Gothic building's style is unique in Italy, and many international architects, sculptors and artists contributed to it. Atop the main spire, 112 meters above ground, stands the gilded statue known as the Madonnina, which serves as a symbol of the city.
pp 50-51: Galleria Vittorio Emanuele
New developments in working with iron and glass developed during the second half of the 1800s and gave Milan one of its great masterpieces: the Galleria Vittorio Emanuele, intended to link the Piazza del Duomo with the piazza that houses the La Scala theater and city hall. Architect Giuseppe Mengoni fell from scaffolding and died shortly before it was completed in 1877. Today, the Galleria is the city's central gathering place.

MARIAE
NASCENTI

A fianco e sopra: La Basilica di Sant'Ambrogio e la Pala d'Oro
La basilica di Sant'Ambrogio rappresenta una delle principali e più precoci affermazioni dello stile romanico a Milano. Preceduta da un caratteristico quadriportico risalente all'epoca dell'arcivescovo Ansperto (XI secolo), la facciata a capanna si presenta animata e scandita da due ordini di arcate: le superiori recano aperture decrescenti verso i lati, a seguire il profilo triangolare, mentre le inferiori si collegano senza soluzione di continuità ai lati del portico. All'interno della basilica si trovano tesori d'arte dal IV secolo in poi, a testimonianza della costante importanza della basilica attraverso i millenni. Un capolavoro assoluto è l'altare, rivestito di lamine sbalzate d'oro e d'argento, incomparabile opera di oreficeria risalente al IX secolo.

Opposite and above: Basilica of Sant'Ambrogio and the Gold Altar
The Basilica of Sant'Ambrogio is one of the most important and earliest Romanesque structures in Milan. A typical square portico dates back to the time of Archbishop Ansperto (11th century), while the hut facade is enlivened and highlighted by two sets of arcades: The upper arcades have smaller arches toward the sides to follow the triangular profile, while the lower arches are attached to the sides of the portico. Inside, the basilica contains several treasures from as far back as the 4th century, proof of its importance across the ages. The altar, known as the Gold Altar, is nothing short of a masterpiece—it is covered with embossed gold and silver plates. These incomparable works of gold date to the 9th century.

NICOL. MALINCONICVS P.

Il Duomo di Cremona
Cremona è celebre nel mondo per la produzione di violini, legata alla memoria di Antonio Stradivari e alla costante eccellenza della liuteria locale. Il centro storico della città si stringe intorno al grande e complesso Duomo, uno straordinario monumento che riassume epoche, stili e opere di grandi artisti. La decorazione dell'interno risale prevalentemente al XVI e XVII secolo, quando la grande mole romanica della cattedrale fu rivestita da un brillante apparato decorativo con stucchi e affreschi.

Cremona Cathedral
Cremona is famous worldwide for the production of violins. It is forever tied to the name of Antonio Stradivari and has an ongoing tradition of the crafting of beautiful string instruments. The historic center of Cremona centers around the Cathedral, an extraordinary building that combines a variety of periods, styles and works by great artists. The interior of the church is mainly from the 16th and 17th centuries, when the Romanesque church was decorated with stucco work and frescoes.

Le ville sul lago di Como

A fianco: veduta del lago di Como dalla loggia-belvedere di Villa Monastero, presso Varenna.
Sopra: la raffinata Villa Melzi d'Eril, scrigno di arte neoclassica.
La caratteristica forma a Y rovesciata, contornata da alte e verdi montagne, rende i bacini del lago di Como un susseguirsi di viste e di panorami di grande suggestione: l'affascinante descrizione all'inizio de' *I Promessi Sposi*, il più importante romanzo italiano dell'Ottocento, corrisponde esattamente anche all'attualità. Sulle sponde sono numerose le ville, immerse in parchi secolari: alcune ospitano oggi alberghi di lusso. Prevale lo stile neoclassico, e un aspetto esterno raffinato ma sobrio: spesso gli interni rivelano arredi e collezioni d'arte di sorprendente ricchezza. Sempre più numerosi sono i personaggi celebri internazionali che cercano prestigiose ville sul lago più "glamour".

Villas on Lake Como

Opposite: A view of Lake Como from the loggia-belvedere of Villa Monastero, near Varenna.
Above: The elegant Villa Melzi d'Eril, a jewel box of neoclassical art.
Lake Como's upside down Y shape and the surrounding tall and lushly green mountains have made the shores of this lake a glorious collection of views and evocative landscapes: The lavish description at the start of *The Betrothed,* Italy's famed 19th-century novel, describes the area in great detail. Numerous villas dot the shores of the lake, all surrounded by centuries-old parks and gardens. There are also several luxury hotels on the lake. Most buildings were designed in the neoclassical style, which gives their exteriors an elegant, somber look. The interiors of these villas, on the other hand, often house surprisingly rich and extensive furnishings and art collections. These days, more and more international celebrities are purchasing homes on the world's most glamorous lake.

Borghi e centri storici sul lago di Como
Sopra: la cittadina di Bellagio, con il pittoresco centro storico tra i parchi delle ville patrizie e i grandi alberghi di fine Ottocento. A fianco: Menaggio, quasi all'imbocco del ramo settentrionale del lago di Como.
Le tortuose strade che corrono lungo le rive del lago di Como, a cominciare dalla panoramica Strada Regina, attraversano antiche cittadine, di intatta bellezza: un controcanto vivace e popolare rispetto alla nobile riservatezza delle ville signorili immerse nei parchi. Straordinaria è la posizione di Bellagio, che si trova proprio al centro del lago, alla confluenza dei tre bracci, offrendone uno scenario completo. Una gradevole alternativa non solo turistica ma anche pratica alle strade del lungolago è la navigazione, con un efficiente sistema di battelli di linea.

Cities and Towns on Lake Como
Above: The village of Bellagio. Its picturesque historic center sits among the gardens of aristocratic villas and grand hotels from the late 1800s. Next to it is Menaggio, which sits close to the northern mouth of Lake Como.
Winding roads run along the shores of Lake Como, beginning with the panoramic Strada Regina. These roads pass through ancient cities, their beauty intact: a lively and down-to-earth counterpoint to the noble reserve of the villas and their gardens. Bellagio is located right at the center of the lake, where its three branches intersect, with views in all directions. If you're looking for a pleasant sightseeing alternative that's a little easier than navigating the roads around the lake, travel by water on one of the boats in the very efficient ferry system.

BRESCIA
Sopra: veduta di Brescia, in primo piano la torre medievale del Broletto e la grande cupola del Duomo Nuovo, mentre sullo sfondo si delineano gli edifici del moderno centro direzionale.
A fianco: l'orologio astronomico in piazza della Loggia, un contesto urbano rinascimentale che ricorda i secoli trascorsi da Brescia sotto l'amministrazione della Repubblica di Venezia.
Per molti decenni Brescia (la seconda città della Lombardia) è stata considerata una città di forte vocazione industriale, tutta dedita al lavoro. Relativamente recente è stata la "scoperta" di un centro storico di straordinaria ricchezza monumentale e artistica, recuperato e valorizzato in modo attento: esemplare è stato il restauro del grandioso convento di Santa Giulia, con una stratificazione di edifici dall'età romana in poi, autentico "riassunto" delle fasi storiche e dell'architettura a Brescia. Agli importanti resti archeologici romani seguono chiese medievali, edifici rinascimentali ricchi di capolavori della scuola pittorica locale, facciate barocche, ricchi musei: una città dinamica, ma con un cuore antico che è tornato a vivere.

BRESCIA
Above: A view of Brescia, with the Broletto Medieval tower and the large dome of the New Cathedral in the foreground and the buildings of the modern business district in the background.
Opposite: Astronomical clock in the Piazza della Loggia, one of the neighborhoods in the city that still show the influence of the Republic of Venice, which controlled the city for centuries.
For decades, Brescia, Lombardy's second largest city, was considered a city of industry and a place whose inhabitants were concerned solely with work. Relatively recently, however, its historic center has begun to be recognized for its great architecture and art, and it has been properly and carefully restored. For example, the imposing monastery of Santa Giulia, with buildings from every era, starting with the Roman period, has been restored. Today it provides an authentic "summary" of Brescia's history and architecture. In addition to Roman archeological ruins, there are Medieval churches, Renaissance buildings, masterpieces from the local painting school, Baroque facades, fascinating museums—in short, this is a dynamic city with an ancient heart that is once again beginning to beat.

XVII
XVIII
XX
XXI
XXII
XXIII
XXIIII
I
II
III
IIII
V
VI
VII
VIII
VIIII
X
XI
XII
XIII
XIIII
XV
XVI
FEBRVARIVS
IANVARIVS
TRINO
QVADRANTE
SESTILE

Vigevano
La piazza Ducale di Vigevano è un intatto gioiello rinascimentale progettato con la collaborazione di Leonardo e di Bramante. Realizzata nel 1492, si tratta di un vero e proprio regalo di compleanno per il duca di Milano Ludovico il Moro, nato nella cittadina quarant'anni prima: l'immagine è presa dalla terrazza della torre del castello, affacciata sulla regolare sequenza di palazzetti porticati e sulla facciata concava del Duomo.

Vigevano
The Piazza Ducale in Vigevano is a perfectly preserved Renaissance jewel designed with input from Leonardo da Vinci and Bramante. Built in 1492, it was a birthday gift for the Duke of Milan, Ludovico Sforza, who had been born in the city 40 years earlier. This photograph shows the view from the terrace of the castle tower, which faces the well-balanced sequence of small porticoed buildings along the curved façade of the cathedral.

MANTOVA
Intorno a Mantova il fiume Mincio forma tre laghi, che da secoli recingono e proteggono la città dei Gonzaga. Dall'acqua sorge compatto il centro storico, sul quale domina la tondeggiante cupola della basilica di Sant'Andrea. Sulle sponde erbose si affacciano i numerosi edifici che formano il Palazzo Ducale, una vera città nella città, prevalentemente realizzato tra Quattro e Cinquecento: in questa immagine si riconoscono le arcate del bellissimo cortile della Mostra, opera di Giulio Romano, e il campanile della cappella palatina, dedicata a Santa Barbara.

MANTUA
The Mincio River forms three lakes around Mantua, and for centuries they have protected the city of the Gonzagas. Mantua's historic center is a compact set of buildings, dominated by the round dome of the Basilica of Sant'Andrea. The grassy banks of the river are home to numerous buildings that make up the Ducal Palace, a city within a city; most of the buildings were built in the 1400s and 1500s. This photograph shows the arcades in the beautiful courtyard of the Mostra, by Giulio Romano, and the bell tower in the Palatine church dedicated to Saint Barbara.

MARIE VIRGINI MATRI FILIE SPONSE DEI

La Certosa di Pavia

La Certosa di Pavia è stata costruita per volere dei duchi di Milano nel cuore di una vasta tenuta di caccia tra Milano e Pavia. È uno straordinario monumento rinascimentale, ricchissimo di dipinti, sculture, decori rimasti intatti. La facciata, pur se rimasta incompiuta nella parte alta, è in assoluto il più rilevante capolavoro dell'arte lombarda alle soglie del XVI secolo. Progettata da Giovanni Antonio Amadeo, è coperta da un esuberante rivestimento di sculture marmoree.

Charterhouse of Pavia

The Charterhouse of Pavia was commissioned by the dukes of Milan and built in what was once a large hunting park between Milan and Pavia. It's an extraordinary testament to the Renaissance and is filled with paintings, sculptures and other decorative items that are perfectly preserved. Though the upper portion of its facade was never finished, it is still considered the best example of Lombard art from the turn of the 16th century. Designed by Antonio Amadeo, it is covered by a collection of exuberant marble sculptures.

BERGAMO
Fra i capoluoghi di provincia della Lombardia, Bergamo ha caratteristiche davvero singolari. Alla parte bassa della città, moderna e dinamica senza rinunciare a una peculiare, composta armonia, fa riscontro Bergamo Alta, il bellissimo nucleo antico, ancora chiuso nelle mura erette durante il lungo dominio veneziano e caratterizzate dal Leone di San Marco. Nella compatta urbanistica medievale emergono diverse torri (al centro, la più alta è quella del romanico Palazzo della Ragione) e monumenti straordinari, come la chiesa romanica di Santa Maria Maggiore e l'incantevole Cappella Colleoni, gioiello di delicata decorazione della fine del Quattrocento.

BERGAMO
Bergamo is unique among the province capitals of Lombardy. The lower area of the city is modern and energetic, although it still exhibits a harmonious balance. That contrasts with upper Bergamo, the old part of the city, which is still protected by walls built during Venetian reign that feature Saint Mark's lion. The Medieval setting features two towers (center, the taller one is the tower of the Romanesque Palazzo della Ragione) and extraordinary buildings, such as the Romanesque church of Santa Maria Maggiore and the enchanting Colleoni Chapel, a small gem with subtle decoration that dates to the late 1400s.

EMILIA ROMAGNA - EMILIA ROMAGNA

LA REGIONE DEL PIACERE, IL PIACERE DELLA RAGIONE
A REGION THAT OFFERS BOTH PLEASURES AND EDUCATION

Sono pochi i casi di regioni italiane con il nome al plurale o con una doppia definizione: l'Emilia-Romagna è una di queste. È l'eredità della complessa frammentazione politica del territorio, teatro di continue alternanze di "ducati" (zone rette da una signoria locale) e "legazioni" (terre dipendenti dallo Stato della Chiesa e affidate ad un cardinale "legato"), e si riflette in una vicenda artistica movimentata. Il corso del Po, la linea dell'Appennino, la costa dell'Adriatico definiscono i confini di una regione che è divisa in modo netto tra la vasta pianura agricola e gli Appennini. La regione è diagonalmente attraversata da una delle più importanti strade romane: la via Emilia, su cui in epoca medievale si è sovrapposta in parte la strada dei pellegrini diretti dalla Francia a Roma, la via Francigena. Molti dei principali centri storici emiliani si trovano lungo questo fondamentale asse di collegamento, e l'urbanistica stessa delle città è caratterizzata dalla strada che fa da spina dorsale. Fanno eccezione due appartate, straordinarie capitali: Ravenna e Ferrara, città diversissime fra loro, capaci di ricoprire in epoche remote un ruolo di assoluto prestigio. Basta osservare una piantina per rendersi conto di come Bologna, quasi esattamente nel centro, sia anche il punto di incrocio con le strade verso il Veneto e la Toscana, confermandosi così come un fondamentale punto di snodo per tutto ciò che i collegamenti possono portare: merci e ricchezza, senz'altro, ma anche cultura. Questa posizione baricentrica è una delle ragioni che hanno portato Bologna ad aprire la più antica Università d'Europa, e si riflette sulla struttura del centro storico, in parte vistosamente caratterizzato dal tratto urbano della via Emilia, e in parte invece organizzato a ventaglio, con le vie che dalle due Torri si aprono a raggiera in varie direzioni.

L'Emilia è forse fin troppo celebre per la gastronomia, la Romagna per i divertimenti estivi delle città balneari: i tortellini e le discoteche, come pure il tradizionale spirito di accoglienza degli emiliani, sono stereotipi piacevoli, ma hanno il grave torto di banalizzare i valori di una regione ricca e varia, che in diversi momenti dell'anno propone spettacoli naturali inaspettati, come gli spazi immensi e silenziosi del Delta del Po, per esempio, su cui vigila la millenaria abbazia di Pomposa. La grande pianura può sembrare monotona, ma nelle settimane della fioritura degli alberi da frutta si riveste di colori morbidi e delicati; le colline e le montagne impongono deviazioni talvolta faticose, ma che hanno come compenso la visione di grandiosi castelli, memoria di epoche antiche, di feudatari orgogliosi, di figure come la contessa Matilde di Canossa, la cui storia è divenuta leggenda. Di castello in castello, anzi, si può raggiungere il minuscolo, antichissimo Stato autonomo della Repubblica di San Marino, aggrappato sulle pendici del Monte Titano tra la Romagna e le Marche.

Tuttavia, l'Emilia e la Romagna offrono soprattutto un fittissimo tessuto di ricche città d'arte: partendo da Bologna, si raggiungono via via tutte le molte "capitali" della regione. Se Ravenna, con i suoi mosaici, è stata la capitale addirittura del declinante Impero Romano e poi dei bizantini e degli ostrogoti, molte città emiliane vantano casate autonome: gli Este a Ferrara e a Modena, i Farnese a Parma e Piacenza, i Malatesta a Rimini e Cesena; e tutta da scoprire è la geografia delle signorie locali, dai castelli signorili di Vignola, Carpi, Torrechiara e Novellara alle residenze rinascimentali e barocche di Fontanellato, Soragna, Sassuolo e Colorno, fino alle inaspettate fragranze neoclassiche di Faenza.

Emilia Romagna is one of the few Italian regions to have a plural or dual name. This name is the legacy of complex political fragmentation of this area. The region was a patchwork of duchies (areas run by a local seigniory) and legations (areas dependent on the Church and under the supervision of a cardinal), which is reflected in its artistic heritage. The Po river, the Apennines and the Adriatic coast mark the borders of this region, which benefits from both vast agricultural fields and mountainous areas. The region is crossed diagonally by one of the major Roman roads, the Via Emilia, which in Medieval times overlapped in part with the pilgrims' direct route from France to Rome, the Via Francigena. Many of the centers of towns and cities in the Emilia half of the region are located along this then-vital roadway, and those cities are laid out with streets that form a kind of backbone. Two cities are exceptions to this rule: Ravenna and Ferrara. These two cities don't have much in common, but in their time they were both extremely important. As for Bologna, if you look at a map of the modern city you'll see that the road to the Veneto and the road to Tuscany cross right in the middle of it, making the city a business hub. Much wealth was transported through this crossroads, and culture was exchanged here as well. Europe's oldest university was established in Bologna in large part due to this central position. It's reflected in the layout of the city center as well—Via Emilia is obviously the main street, but from the city's two famous towers there are streets leading off in all directions.

Emilia is also well-known for its cuisine; Romagna is famed for its summertime party scene. Delicious tortellini and happening discos, as well as the hospitality of the people of Emilia, may be flattering stereotypes, but they are still stereotypes, and if you rely on them you may miss out on the region's rich variety. Depending on the season, you may stumble upon surprising sights in Emilia-Romagna, like the immense and silent space of the Po Delta, overlooked by the age-old abbey of Pomposa. This great plain may seem flat, but when the fruit trees blossom it is cloaked in soft, delicate colors. The hills and mountains have their share of challenging trails, but in return they offer imposing castles, remnants of ancient eras, proud feudatory states and figures like the countess Matilda of Canossa, whose story is legendary. Between Romagna and the Marche region sits an ancient, autonomous state, the Republic of San Marino, which clings to the slopes of Mount Titan.

Both Emilia and Romagna are home to numerous cities famed for their artwork. Visiting the region's former capitals, starting with Bologna, will lead you on a terrific tour. Ravenna, with its renowned mosaics, was the capital of the declining Roman Empire, and then of the Byzantines and the Ostrogoths. Many of the small cities of Emilia were the provinces of wealthy families: the Este clan in Ferrara and Modena, the Farnese family in Parma and Piacenza, the Malatesta family in Rimini and Cesena. Local seigniories left their marks with castles in Vignola, Carpi, Torrechiara and Novellara and Renaissance and Baroque residences in Fontanellato, Soragna, Sassuolo and Colorno. Also not to be missed are the delightful neoclassical works of Faenza.

A FIANCO: IL VASTO PALAZZO COMUNALE DI BOLOGNA È UN EDIFICIO COMPOSITO, NEL CUI ASPETTO QUATTROCENTESCO CONVIVONO DETTAGLI DI ARCHITETTURA MILITARE, COME LA TORRE E LE MERLATURE, CON PARTI DI RAFFINATO, PERSINO SONTUOSO ASPETTO SIGNORILE. IL CALDO COLORE ARANCIATO DEL TIPICO MATTONE EMILIANO RENDE OMOGENEO E GRADEVOLE L'INSIEME, FONDENDOLO CON LA FITTA MAGLIA URBANA CIRCOSTANTE.

OPPOSITE: THE VAST MUNICIPAL BUILDING IN BOLOGNA IS A COMPOSITE STRUCTURE AND SEAMLESSLY COMBINES ELEMENTS FROM THE 1400S WITH DEFENSIVE MILITARY ARCHITECTURE, SUCH AS THE TOWER AND THE BATTLEMENTS, AND ELEGANT TOUCHES THAT RISE TO A CERTAIN LEVEL OF SOPHISTICATION. THE WARM ORANGE COLOR OF EMILIA'S BRICK UNIFIES THE WHOLE IN A PLEASING WAY AND HELPS IT FIT INTO THE TIGHTLY KNIT URBAN SETTING THAT SURROUNDS IT.

Bologna
Bologna ha mantenuto nel centro storico la regolare pianta romana: cuore e "salotto" della città è la spettacolare Piazza Maggiore, uno scenario interamente circondato da splendidi edifici antichi. In questa immagine, il lato di fondo è interamente occupato dall'ampio Palazzo Comunale; a sinistra emerge la vasta mole gotica della basilica di San Petronio, di fronte alla quale si trova il quattrocentesco Palazzo del Podestà con la torre merlata. In primo piano s'incurva la cupola barocca di Santa Maria della Vita, mentre sullo sfondo a sinistra, dall'alto della collina, vigila sulla città il santuario della Madonna di San Luca, collegato al centro storico da un lunghissimo porticato.

Bologna
Bologna's historic center has maintained its Roman grid: The city's heart and "living room" is the spectacular Piazza Maggiore, which is completely surrounded by wonderful historically important buildings. The bottom of this photograph is taken up entirely by the enormous Municipal Building. At left is the imposing Gothic Basilica of San Petronio, and in front of that stands the 15th-century Palazzo del Podestà with its crenellated tower. In the foreground is the curved Baroque dome of Santa Maria della Vita, while on the upper left, high on a hill, is the sanctuary of Madonna di San Luca, which keeps watch over the city and is connected to the historic center by a very long porticoed passageway.

SALVS MVNDI
+SANCTVS
APOLENARIS

Ravenna
Sopra: pannello a mosaico nella basilica di San Vitale a Ravenna, con l'imperatore Giustiniano circondato da dignitari. I sovrani e i personaggi del seguito sono rappresentati frontalmente con lineamenti standardizzati e sguardo magnetico. A fianco: l'ultimo grande capolavoro del mosaico, in ordine di tempo, la composizione absidale della basilica di Sant'Apollinare in Classe, grande chiesa a tre navate fuori città, nelle vicinanze del porto. Sotto la croce gemmata che raffigura simbolicamente Cristo si trova la figura del santo titolare affiancata da dodici agnelli (gli Apostoli) in un paradisiaco giardino fiorito.
Nell'anno 402 l'imperatore Onorio decide di trasferire la capitale dell'Impero Romano d'Occidente a Ravenna, che offriva il vantaggio di essere protetta da ampie paludi e di disporre di un porto (Classe), un'importante base per la flotta militare e commerciale nell'Adriatico. Dall'inizio del V secolo, dunque, Ravenna inizia a dotarsi di edifici adeguati al rango di capitale: la conservazione di numerosi monumenti del V e del VI secolo, alcuni dei quali decorati da meravigliosi mosaici, fa di Ravenna un luogo di assoluta suggestione e uno dei più importanti centri per la conoscenza dell'architettura e dell'arte paleocristiana e bizantina. Poi, lentamente, la città è scivolata ai margini della storia, mantenendo la memoria sfavillante della sua epoca d'oro: ma non va dimenticato che a Ravenna spetta il prestigioso primato di conservare i resti di Dante Alighieri, il più grande poeta italiano.

Ravenna
Above: Mosaics in the Church of San Vitale in Ravenna, showing Emperor Justinian surrounded by dignitaries. The emperor and members of his retinue are shown from the front with regular features and magnetic gazes. Opposite: The latest mosaic masterwork, chronologically speaking, in the apse of the Basilica of Sant'Apollinare in Classe, a great church with three naves just outside of the city of Ravenna and located near the port. Under the gem-encrusted cross that symbolizes Jesus is the titular saint with twelve lambs (representing the Apostles) in a flowering garden paradise.
In the year 402, Emperor Honorius decided to move the capital of the Western Roman Empire to Ravenna, which was protected by large swamps and also had a port (Classe) that could serve as a key base for the military and commercial fleet on the Adriatic. Therefore, beginning in the early 5th century, buildings fit for a capital city were constructed in Ravenna. (Many of those 5th- and 6th-century structures, some of which boast wonderful mosaics, have been well-preserved, making modern Ravenna not only a very evocative city, but an important center for the study of paleochristian and Byzantine art and architecture.) Then, gradually, the city began to lose its relevance, though it retained the patina of its earlier golden days. The remains of Dante Alighieri, Italy's most famous poet, are in Ravenna.

Brisighella
In Emilia Romagna le grandi città storiche si alternano con borghi e cittadine di campagna, in una varietà di ambienti naturali che vanno dal silenzioso Delta del Po fino alle alture rocciose delle valli che scendono dall'Appennino. Simbolo di Brisighella (in provincia di Ravenna) è la torre dell'orologio, di aspetto medievale, costruita a picco su una rupe.

Brisighella
In Emilia Romagna, large and historically important cities alternate with smaller towns and country villages, located in natural settings that range from the peaceful Po Delta to the rocky slopes of the valleys that yawn alongside the Apennines. A Medieval clock tower perched on a rocky peak is the symbol of Brisighella in the province of Ravenna.

Ferrara
Per molte e diverse ragioni Ferrara è una delle più gradevoli città d'Italia: l'ampia cerchia di mura trasformata in una passeggiata nel verde, i ricordi della splendida signoria degli Este, il cui ricordo si manifesta nell'imponente castello al centro della città. la presenza di un braccio del Po, e un nucleo medievale raccolto intorno alla spettacolare Cattedrale, rivestita di marmo, con l'insolita facciata romanico-gotica a tre cuspidi, ricchissima di splendide sculture, ne fanno un ambiente urbano di straordinaria ricchezza e varietà.

Ferrara
Ferrara is one of Italy's prettiest cities. The city's circular walls have been transformed into a green walking path. Ferrara was home to the reigning Este family, whose imposing castle stands in the center of the city. Ferrara also has a branch of the Po river and a Medieval section that surrounds the spectacular marble cathedral, graced with an unusual Romanesque-Gothic facade with three cusps and rich with splendid sculptures. In short, Ferrara is truly a city of extraordinary richness and variety.

A fianco: Il Duomo di Modena
Uno dei leoni romanici in marmo rosso che affiancano il portale del Duomo di Modena, splendida costruzione romanica alla cui decorazione hanno contribuito attraverso i secoli generazioni di scultori, cominciando, alla fine dell'XI secolo, da maestro Wiligelmo, autore dei rilievi sulla facciata.
Sopra: Parma
Nell'immagine gli affreschi cinquecenteschi che rivestono l'interno del Duomo di Parma.
Autentica capitale del benessere dopo esserlo stato anche dal punto di vista politico nell'età dei Farnese e dei Borbone, sempre ai primissimi posti nelle classifiche dei centri con la più alta qualità della vita, Parma è una città amabile sotto molti aspetti. Il centro storico, punteggiato di monumenti prestigiosi, è perfetto per girare in bicicletta, e smaltire così le tentazioni di una gastronomia eccezionale. Gli affreschi di Correggio gareggiano in spettacolarità con gli allestimenti dei melodrammi di Giuseppe Verdi nel celebre Teatro Regio; e forse non è un caso che il più grande palazzo della città, un edificio enorme, sia stato concepito come sede dei divertimenti, delle feste e dei giochi della corte.

Opposite: Modena Cathedral
One of the Romanesque red marble lions that flank the entrance to the Modena Cathedral. The entire complex is a splendid Romanesque construction, and generations of sculptors contributed to it, beginning in the late 11th century with master Wiligelmus, who crafted the reliefs on the facade.
Above: Parma
The 16th-century frescoes that cover the interior of the Parma cathedral.
The city of Parma was a major political player under the Farnese and Bourbon families, and then it became a true center of wealth. It is always ranked as a city with an excellent quality of life, and it truly is easy to find much to admire in Parma. The historic center, dotted with important monuments and buildings, is an ideal place to enjoy a bicycle ride and taste some delicious food. The Correggio frescoes vie for top billing with the productions of Giuseppe Verdi's works in the famous Teatro Regio. No coincidence that the latter is the city's largest building—an absolutely enormous structure. It was designed for entertainment, celebrations and court amusements.

TRENTINO ALTO ADIGE - TRENTINO ALTO ADIGE

ALL'OMBRA DEI CASTELLI, NEL SOLE DELLE MONTAGNE
IN THE SHADOW OF CASTLES AND MOUNTAINS

L'inaugurazione di un monumento a Dante nei giardini pubblici di Trento, nel 1896, venne interpretato come il desiderio di "italianità" degli abitanti del Trentino, in opposizione al governo imperiale austro-ungarico. Circa trent'anni dopo, nel 1928, la realizzazione a Bolzano di un gigantesco Monumento alla vittoria italiana nella Prima Guerra Mondiale venne al contrario visto come una forzata sottolineatura contro l'identità "tedesca" della provincia. Persino la definizione di "Alto Adige" vuole ruotare l'orientamento geo-storico verso l'Italia, mentre "Sudtirolo" ha un riferimento opposto.

Fuori dalla semplicità dell'aneddoto, questi episodi fanno riflettere sulla ricerca di identità di una regione nettamente divisa in due parti, corrispondenti a province di larga autonomia, che offrono una notevole varietà di ambienti naturali e contesti urbani.

Certo, prima di tutto vanno nominate le montagne. Per il loro inconfondibile colore e per il profilo sempre vario, le Dolomiti sono le grandi "cattedrali naturali" della regione, considerate dagli alpinisti di tutto il mondo le montagne più belle del pianeta. Ma ai piedi delle montagne, scendendo dagli alpeggi ai boschi di abeti, poi agli specchi limpidissimi dei laghetti alpini, e lungo le valli fino ai vigneti e alla piana dell'Adige, la regione ha moltissimo da offrire. Superlativo è il numero e lo splendore dei castelli medievali e rinascimentali, in qualche caso ruvidi manieri difensivi, più spesso sontuose dimore signorili. Il Castello del Buonconsiglio a Trento è una vera e propria reggia rinascimentale, e rispecchia tutto lo splendore e l'autonomia politica dei vescovi-conti; Castel Tirolo ha dato addirittura il nome a tutta un'ampia regione alpina, e accoglie i visitatori con un inaspettato corredo di sculture romaniche; Castel Coira, tuttora abitato dai proprietari, ha fra le sue collezioni un'armeria impressionante; Castel Roncolo, alle porte di Bolzano, conserva in diverse sale gli affreschi cavallereschi tardogotici; e la lista potrebbe continuare a lungo. Poi ci si può immergere (magari nel periodo dei deliziosi "mercatini di Natale") nell'atmosfera delle città principali. La piazza del Duomo di Trento offre uno scenario di arte e di architettura dal XII al XVI secolo; i lunghi portici di Bolzano sono un invito a passeggiare; Bressanone reca l'impronta di una piccola ma orgogliosa capitale gotica e barocca; Rovereto propone il MART, il più bel museo d'arte moderna d'Italia; Merano il lusso del turismo internazionale della *Belle Époque*, con le passeggiate lungo il fiume Passirio e gli edifici primo Novecento; Riva del Garda, anticipo di luce mediterranea sulla punta del lago, o al contrario la turrita Vipiteno, ormai quasi al Brennero. È bello percorrere le due grandi valli "minori" dell'Alto Adige: la Val Venosta verso ovest, con i vasti frutteti e le chiesette con affreschi remotissimi, più che millenari, fino alla minuscola Glorenza, cinta da una cerchia di mura come una città in miniatura; e la Val Pusteria verso est, in direzione dell'Austria, che si apre con la splendida abbazia di Novacella e tocca diverse cittadine gotiche, fino alla bella San Candido, con il suo duomo romanico. E ancora, abbazie inerpicate sulle vette, memorie di cavalieri e di vescovi, altari gotici intagliati e dorati secondo lo stile d'Oltralpe, cicli di affreschi di forte suggestione, chiesette dai campanili aguzzi in mezzo ai prati. Nell'attesa di riposarsi, la sera, in un'accogliente *stube*, il Trentino Alto Adige offre giornate piene di emozioni indimenticabili.

When a statue of Dante was unveiled in the public gardens of Trento in 1896, the gesture was framed as the people of Trentino expressing their Italian identity in opposition to the imperial Austro-Hungarian government. Approximately thirty years later, in 1928, a gigantic monument to Italian victory in World War I was created in Bolzano, and that, too, was seen as pushback against the province's German identity. Even employing the name Alto Adige is assumed to indicate a statement of the region's Italian nature, while referring to this area as the Südtirol, or South Tyrol, is meant to mark it as German.

These are simplistic examples, but there is an ongoing search for identity in this region, which is sharply divided into two, largely autonomous parts, both of which offer a wide variety of natural and urban environments.

Of course, this region's mountains deserve top billing. The signature color and varied profile of the Dolomites make them a sort of large natural cathedral. Mountain climbers around the world consider them the most beautiful mountains on the planet. This region at the foot of the Dolomites has much to offer, from mountain pastures to fir forests and then to clear small mountain lakes and, finally, to valleys and the vineyards on the Adige plain. It is home to an enormous number of splendid Medieval and Renaissance castles, some of them defensive structures, but most of them refined homes to the wealthy. The Buonconsiglio Castle in Trento is a true Renaissance palace and reflects all the splendor and political independence of the count-bishops; Tirol Castle lent its name to a large mountainous area and welcomes visitors with an unexpected collection of Romanesque sculptures; Coira Castle is still in the same family and houses an impressive armory collection; Runkelstein Castle, right outside Bolzano, has late Gothic knight frescoes in several rooms; the list is endless. The region's major cities are equally rich in atmosphere; try to visit during the festive Christmas market period if you can. The piazza outside the cathedral of Trento offers 12th- to 14th-century art and architecture; the long porticoes of Bolzano invite you to take a stroll; Brixen bears the mark of a small but proud Gothic and Baroque capital; Rovereto is home to the MART, the best museum of modern art in Italy; Merano is a vision from the Belle Époque with its long promenades along the Passer river and its early 20th-century buildings; Riva del Garda offers a glimpse of Mediterranean light along the lake, while Sterzing with its tower is close to the Brenner Pass. Exploring the two "smaller" Alto Adige valleys is a treat. To the west is the Vinschgau Valley, with its fruit orchards and small churches with their ancient frescoes, more than one thousand years old. Go all the way to the small town of Glurns, which, with its walls, seems like a model of a city. To the east, toward Austria, is the Puster Valley, which offers the splendid Abbey of Neustift and several small Gothic towns. Go all the way to lovely Innichen with its Romanesque cathedral. Here, too, abbeys cling to the slopes that have seen the passing of knights and bishops. Austrian-style carved and gilded Gothic altars and evocative cycles of frescoes can be seen here, as well as small churches with pointed bell towers amid the fields. At night, take a room in a welcoming *stube*, or guest house, and consider the indelible emotion that Trentino Alto Adige inspires.

A FIANCO: SUL DENSO CENTRO STORICO DI TRENTO SPICCANO MOLTI MONUMENTI ANTICHI: IN PRIMO PIANO, AFFIANCATA DA UN CAMPANILE ROMANICO, È LA CHIESA RINASCIMENTALE DI SANTA MARIA MAGGIORE; AL CENTRO DOMINA LA MOLE ROMANICA DEL DUOMO. LA PARTICOLARITÀ DELL'EDIFICIO CONSISTE NEL FATTO CHE IL FIANCO SINISTRO, E NON LA FACCIATA, È RIVOLTO VERSO LA PIAZZA CENTRALE: PER QUESTO, IL LUNGO LATO DELL'EDIFICIO APPARE MOLTO ELABORATO.

OPPOSITE: THE TIGHTLY BUILT HISTORIC CENTER OF TRENTO FEATURES MANY ANTIQUE STRUCTURES. IN THE FOREGROUND, WITH A ROMANESQUE BELL TOWER NEXT TO IT, IS THE RENAISSANCE CHURCH OF SANTA MARIA MAGGIORE. IN THE CENTER IS THE ROMANESQUE CATHEDRAL. THIS BUILDING IS UNIQUE BECAUSE THE LEFT SIDE, NOT THE FACADE, FACES THE MAIN PIAZZA, SO THE LONG SIDE OF THE BUILDING IS EXTENSIVELY DECORATED.

DREIZINNENHÜTTE

Le Dolomiti
Lo spettacolare gruppo delle Tre cime di Lavaredo sfiora i tremila metri di altezza e segna il confine tra il Veneto e il Trentino: siamo nel cuore delle Dolomiti, le montagne che a giusta ragione vengono considerate tra le più belle del mondo. Oltre che per il profilo altimetrico vario e frastagliato (segno della relativa "giovinezza" geologica delle Dolomiti), il loro fascino è legato allo straordinario colore rosato della pietra, un tono che si accende di riflessi meravigliosi soprattutto al tramonto, e che ha dato origine a poetiche leggende.

Dolomites
The Tre Cime di Lavaredo mountain group soars to 3,000 meters and marks the border between the Veneto and Trentino regions. These mountains in the heart of the Dolomites are justly considered among the most beautiful in the world. In addition to their varied height and jagged appearance (an indication of the relative geological "youth" of the Dolomites), they are fascinating because of the extraordinary pink color of the stone, a tone that lends itself to wonderful play of light, especially at sunset, and that has given rise to a range of poetic legends.

Riva del Garda
Fino alla Prima Guerra Mondiale, il Trentino faceva parte dell'impero austro-ungarico. La storica località di Riva, all'estremità del lago di Garda, era considerata la prima "riviera" soleggiata, l'affaccio verso il "paese dove splendono i limoni".

Riva del Garda
Until the end of World War I, Trentino was part of the Austro-Hungarian Empire. The legendary town of Riva, at the end of Lake Garda, was the first sunny area known as a "Riviera" and was famous for facing "the land where lemons blossom."

HOTEL SOLE

Sopra: Bressanone
Antica e potente sede vescovile, Bressanone è una cittadina deliziosa, che conserva lo spirito e l'aspetto di una piccola capitale delle Alpi. In un intatto contesto urbanistico, attraversato dalle vie porticate su cui si affacciano antiche case merlate, spuntano i monumenti principali, dal gotico al barocco. In questa immagine si nota l'aguzzo campanile della chiesa parrocchiale.
A fianco: Il castello di Burgusio
Il piccolo ma robusto castello di Burgusio vigila sulla alta val Venosta e protegge il bianco complesso di edifici dell'abbazia benedettina di Monte Maria. Fondata nel XII secolo, l'abbazia è stata in gran parte ricostruita nel Settecento, mantenendo però alcune parti antiche. Essa è il complesso monastico più alto d'Europa: sorge infatti a oltre 1300 metri sul livello del mare.

Above: Brixen
An old and powerful bishop's seat, Brixen (Bressanone in Italian) is a beautiful town that preserves the spirit and appearance of a small Alpine city. The original city plan remains intact, and it is crisscrossed by porticoed streets lined with old houses with battlements and Gothic and Baroque structures. This photograph shows the pointed bell tower of the local church.
Opposite: Burgeis Castle
The castle in Burgeis is a small but sturdy structure that looks out over the Upper Vinschgau Valley and stands over the white buildings that comprise the Benedictine Marienberg Abbey. Built in the 12th century, the abbey was completed largely in the 18th century, but the original, older portions were maintained. It's the tallest monastery complex in Europe and reaches 1,300 meters above sea level.

FRIULI VENEZIA GIULIA - FRIULI VENEZIA GIULIA

MEDIOEVO QUOTIDIANO E PROFUMI DI MITTELEUROPA
EVERYDAY MEDIEVAL LIFE AND A TASTE OF CENTRAL EUROPE

Per entrare nel segreto di questa singolare, duplice regione (Friuli e Venezia Giulia sono due entità geo-storiche ben distinte) si può partire da Aquileia. Punte di cipressi, prati, campi disegnano un paesaggio agreste che ben presto si scopre disseminato di ruderi, pietre affioranti, scavi, mentre, su tutto, vigila la colossale torre campanaria. Aquileia era per popolazione la quarta città dell'Impero Romano, capoluogo dell'ampia regione, centro commerciale e culturale di fondamentale importanza, collegato direttamente al Baltico lungo la "via dell'ambra", oltre a costituire un prezioso punto di riferimento per la diffusione del Cristianesimo. Devastata da Attila, saccheggiata dai barbari, abbandonata dagli abitanti che si erano trasferiti in laguna, fondando Grado, Aquileia era praticamente scomparsa. Poco dopo l'anno Mille il coraggioso patriarca Poppone ricostruì e ampliò la basilica, ma fu una meravigliosa "cattedrale nel deserto", nel nulla lasciato dalla storia. Aquileia è diventata il più grande centro archeologico di tutta l'Italia settentrionale, silenziosa testimone di una storia remota eppure tuttora tangibile.

Dalle invasioni barbariche alle battaglie della Prima Guerra Mondiale, dalle alterne vicende di una terra di confine, fino al dramma del terremoto del 1976, il Friuli e la Venezia Giulia raccontano la storia di una tenace identità, conservata nonostante tutto. Lo si avverte negli storici caffè di Trieste, dall'inconfondibile aspetto mitteleuropeo, o nella bellissima piazza principale di Udine, e lo si ritrova nei molti castelli che accompagnano i centri storici, e si infittiscono man mano che si sale verso la Carnia, verso le montagne e i valichi.

Il lungo arco dell'autostrada percorre la pianura puntando verso Trieste; è un percorso che si muove dal cuore del Veneto verso i margini dell'Austria e dei Balcani, dagli ori della Serenissima al decoro sobrio e "borghese" del più grande porto dell'impero asburgico. Verso nord, si staccano le diramazioni di Udine, Pordenone e Gorizia, alternandosi con gli ampi greti del Tagliamento e dell'Isonzo. Il territorio delle province friulane e giuliane appare così "affettato" in aree distinte, separate fra loro da caratteristiche morfologiche o da diverse vocazioni economiche.

Aquileia, Cividale, Grado, Palmanova, ma anche le aree dei castelli di Spilimbergo, Gorizia, San Daniele invitano ad immergersi nella storia. Non mancano monumenti di eccezionale rilevanza, ma il fascino più intenso della regione si coglie soprattutto in atmosfere, colori, suoni e aromi. Grado offre un esempio perfetto della versatilità turistica del Friuli. Le barche del porto canale, l'animazione dei negozi, i ristoranti, le viste sulla laguna, gli stabilimenti sulla spiaggia sabbiosa del largo lungomare: quasi tutta Grado è una tipica città d'estate. Bastano pochi passi, però, per scoprire una città completamente diversa, con le due basiliche paleocristiane e il tozzo ottagono del battistero sovrastato dall'alto campanile a cuspide. Un altro nucleo abitato dove si respira questa dimensione storica è Cividale, cuore di millenarie vicende friulane. Elevata al grado di *municipium* nel I secolo a.C. da Giulio Cesare, Cividale assunse il nome di *Forum Julii*, con il quale venne poi identificata l'intera regione del Friuli. Recentemente, l'UNESCO ha inserito nella lista del "patrimonio dell'umanità" i monumenti longobardi di Cividale, dove le tradizioni continuano nel tempo: da sette secoli, durante la messa dell'Epifania un diacono si calca in testa un elmo piumato e, dall'alto dei gradini del Duomo, benedice i fedeli tracciando il segno della Croce con la medievale spada del patriarca Marquando.

Start from Aquileia to explore this dual region (Friuli and Venezia Giulia are two distinct geographic and historic entities). Aquileia and the surrounding area are dotted with cypresses, meadows and planted fields. Look more closely and you'll find ruins, moss-covered stones and excavations, while the enormous bell tower looms over it all. Aquileia was the fourth largest city in the Roman Empire, the capital of a large region, as well as a key business and cultural center. It was connected directly to the Baltic via the Amber Road, and it was also an important place for the spreading of Christianity. Devastated by Attila and sacked by the barbarians, it was then abandoned by its residents, who moved to a lagoon and founded Grado. Aquileia all but disappeared. Shortly after the year 1000, patriarch Poppo of Aquileia rebuilt and enlarged the basilica, but it was a "cathedral in the desert" in a void left by history. Aquileia later became the largest archeological site in all of northern Italy, silent witness to a past that, while long ago, remains visible today.

Friuli and Venezia Giulia have preserved a firmly fixed identity despite everything from the barbarian invasions to the battles of World War I to the ongoing disputes over the border to the drama of the 1976 earthquake. You can see this in the historic cafes of Trieste, in the unmistakable Central European look of the area and in the gorgeous main piazza in Udine. You can see it, too, in the many castles in the region's towns, which increase in number as you go toward Carnia, approaching the mountains and mountain passes.

A long, arching section of the highway runs along the plain toward Trieste. The road goes from the center of the Veneto toward Austria and the Balkans, from the flash of Venetian gold to the sober and "bourgeois" flavor of the largest port in the Habsburg Empire. Branching off to the north, toward Udine, Pordenone and Gorizia, it runs alongside the large gravelly river beds of Tagliamento and Isonzo. The provinces of Friuli and Venezia Giulia are divided into distinct areas, each with a different make-up and different local businesses.

Immerse yourself in history in Aquileia, Cividale, Grado and Palmanova, and also in the castles in Spilimbergo, Gorizia and San Daniele. These are exceptional buildings, but the region's greatest appeal lies in its atmosphere, colors, sounds and scents. Grado is a perfect example of this. The boats in the canal port, the lively stores, the restaurants, views of the lagoon and the establishments on the wide boardwalk along the sandy beach: Almost all of Grado is typical of a seaside town. Go just a few steps away, though, and you'll discover a completely different city, one with two paleochristian basilicas and an octagonal, squat baptistery with a tall pointed bell tower looming over it. Another residential area with a strong history is Cividale, the site of ancient Friulian history. When Cividale was promoted to a *municipium* in the 1st century B.C. by Julius Caesar, it was renamed *Forum Julii*, a name that was then applied to the entire Friuli region. Recently, UNESCO added the Lombard sites in Cividale to its list of World Heritage Sites. In Cividale, one tradition has stood the test of time: For seven centuries, during the Epiphany mass a deacon wearing a feathered headpiece has stood at the top of the steps to the main cathedral and blessed the faithful, making the sign of the cross with the Medieval sword of the patriarch Marquando.

A FIANCO: COSTRUITO NEL 1856 PER L'ARCIDUCA D'AUSTRIA MASSIMILIANO D'ASBURGO, IL CASTELLO DI MIRAMARE DOMINA L'ADRIATICO A POCHI CHILOMETRI DA TRIESTE. IL ROMANTICO CASTELLO, EVIDENTE MEMORIA DELLA TRIESTE "AUSTRIACA", È CIRCONDATO DA UN MERAVIGLIOSO PARCO BOTANICO, CON PIANTE ED ESSENZE DA TUTTO IL MONDO.

OPPOSITE: THE MIRAMARE CASTLE WAS BUILT IN 1856 FOR AUSTRIAN ARCHDUKE MAXIMILIAN OF THE HOUSE OF HABSBURG. IT STANDS A FEW KILOMETERS FROM TRIESTE, OVERLOOKING THE ADRIATIC. THIS ROMANTIC CASTLE ATTESTS TO TRIESTE'S "AUSTRIAN" HERITAGE. IT IS SURROUNDED BY A BEAUTIFUL BOTANICAL GARDEN WITH PLANTS AND FLOWERS FROM ALL OVER THE WORLD.

Trieste

Città di mare e di vento, dall'aspetto cosmopolita e brillante, principale sbocco al mare dell'impero austro-ungarico, Trieste si è affermata sull'Adriatico in parallelo con il lento declino dell'antica Venezia. Sotto il nucleo storico del colle di San Giusto, ricco di ricordi romani e medievali, tra Sette e Ottocento si è sviluppata una regolare maglia urbana di ampi quartieri dall'elegante urbanistica neoclassica, legati ai gusti di una benestante borghesia mercantile e imprenditoriale mitteleuropea. Il porto-canale scavato nel 1756 ha come sfondo la nobile facciata della chiesa di Sant'Antonio.

Trieste

Lively Trieste is a city of sea and wind that was the main outlet to the sea from the Austro-Hungarian Empire. Trieste's rise along the Adriatic coincided with Venice's fall. In this historic location on San Giusto hill, which has a rich Roman and Medieval past, the city developed in the 1700s and 1800s. It is comprised of large, elegant neoclassical structures that give it the look of a wealthy neighborhood for the merchant and business class in Central Europe. The port and the canal dug in 1756 are set against a backdrop provided by the somber facade of the church of Sant'Antonio.

SOPRA: UDINE
L'elegante centro storico di Udine, incrocio di memorie medievali e dei segni della lunga dominazione veneziana, si raccoglie intorno all'armoniosa piazza della Libertà, scenario gotico-rinascimentale impreziosito da statue, chiusa in fondo dal portico di San Giovanni (inizio del XVI secolo). Dall'alto di una verde collinetta vigila la compatta mole cinquecentesca del Castello, dall'aspetto di palazzo signorile, sede dei Musei Civici.
A FIANCO: GEMONA
Il 6 maggio 1976 un drammatico terremoto colpì duramente il Friuli. Il centro storico di Gemona fu quasi annientato dal sisma: la meticolosa ricostruzione dei monumenti principali, fra cui soprattutto il bellissimo Duomo romanico-gotico, è un simbolo toccante del tenace attaccamento della gente friulana alla propria terra e alla memoria di un passato che nemmeno il devastante terremoto ha potuto cancellare.

ABOVE: UDINE
Udine's elegant historic center combines remnants of its Medieval incarnation with signs of the long Venetian reign. It is centered around the serene Piazza della Libertà, a Gothic-Renaissance setting with numerous statues and the portico of San Giovanni (early 16th century) standing at one end. A 16th-century castle looms over the city from atop a green hill. Though it looks like a nobleman's house, today it houses the city's civic museums.
OPPOSITE: GEMONA
On May 6, 1976, a dramatic earthquake shook the Friuli region, all but destroying the historic center of Gemona. Important buildings in the city have been rebuilt with great attention and care, especially the beautiful Roman-Gothic cathedral, which today stands as a touching symbol of the strong attachment that the people of Friuli feel with their land and with the memory of a past that not even a devastating earthquake could wipe away.

VENETO - VENETO

DALLA LAGUNA ALLE DOLOMITI
FROM THE LAGOON TO THE DOLOMITES

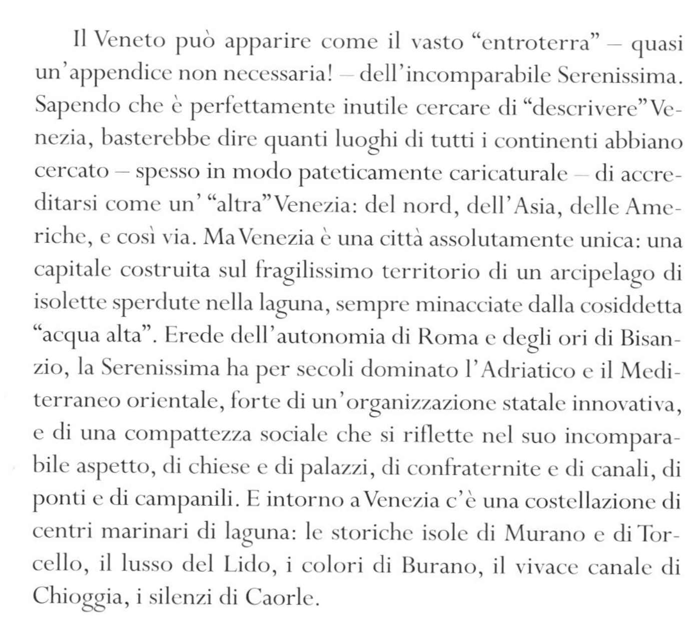

Il Veneto può apparire come il vasto "entroterra" – quasi un'appendice non necessaria! – dell'incomparabile Serenissima. Sapendo che è perfettamente inutile cercare di "descrivere" Venezia, basterebbe dire quanti luoghi di tutti i continenti abbiano cercato – spesso in modo pateticamente caricaturale – di accreditarsi come un' "altra" Venezia: del nord, dell'Asia, delle Americhe, e così via. Ma Venezia è una città assolutamente unica: una capitale costruita sul fragilissimo territorio di un arcipelago di isolette sperdute nella laguna, sempre minacciate dalla cosiddetta "acqua alta". Erede dell'autonomia di Roma e degli ori di Bisanzio, la Serenissima ha per secoli dominato l'Adriatico e il Mediterraneo orientale, forte di un'organizzazione statale innovativa, e di una compattezza sociale che si riflette nel suo incomparabile aspetto, di chiese e di palazzi, di confraternite e di canali, di ponti e di campanili. E intorno a Venezia c'è una costellazione di centri marinari di laguna: le storiche isole di Murano e di Torcello, il lusso del Lido, i colori di Burano, il vivace canale di Chioggia, i silenzi di Caorle.

Ma chi non arriva a Venezia dal mare, inevitabilmente, scopre la terraferma. E magari decide di non arrivare fino alla laguna, di fermarsi tra i campi, le città, alle pendici dei monti. È il Veneto fatto di colline verdi, di vigneti frementi nel vento, del rosso mattone di solide mura, persino dell'afa ronzante della Bassa o del brivido di gelo dei Monti Pallidi, miraggio lontano che emerge oltre l'ultima briccola della laguna. Al di là delle tradizionali rivalità di campanile o addirittura di famiglia (non dimentichiamoci che il Veneto, tra Verona e Vicenza, è lo scenario della vicenda di Romeo e Giulietta, e delle lotte tra Capuleti e Montecchi!), gli abitanti del Veneto "di terraferma" hanno la piena e compiaciuta consapevolezza di vivere sulle rive di una regione meravigliosa, capace di presentare le situazioni ambientali più diverse, in un territorio che va dalle Dolomiti al Po, dai laghi al mare.

Ogni città del Veneto ha una storia da raccontare. Spesso si tratta di storie bellicose: molti e affascinanti sono i borghi murati, fra cui Este, Cittadella, Castelfranco, Bassano, Montagnana, Feltre, Monselice e Marostica. Guardiamo ad esempio alla coltissima e devota Padova, con la sua famosa università e la basilica che racchiude le venerate reliquie di sant'Antonio: insieme a Firenze, Padova è nel Quattrocento la punta avanzata dell'Umanesimo quattrocentesco: il bronzi di Donatello e l'attività giovanile di Mantegna ne rendono stupenda testimonianza. Oppure Verona, che al di là dell'Arena romana distende un centro storico medievale ricco di ricordi della signoria degli Scaligeri; o Vicenza, rimodellata dal genio di Palladio, e punto di irraggiamento della "civiltà delle ville venete", una grande stagione di arte, architettura e cura del territorio che va dal Cinquecento al Settecento. Palladio ha realizzato e progettato palazzi, archi, chiese, ponti, conventi, teatri, edifici pubblici, ma non c'è dubbio che il genere della "casa di villa" gli sia risultata la tipologia edilizia più gradita e congeniale. Gli elementi che accomunano le sue architetture dichiarano l'ideale a cui si ispira Palladio: il mondo classico. Ma la sensibilità con cui l'architetto interpreta lo scenario naturale, l'intenso dialogo tra natura e architettura, sono una delle chiavi più affascinanti per entrare nello spirito del Veneto, e per coglierne pienamente i valori di umanità e di natura, di bellezza e di pace.

Sometimes it seems as if the incomparable city of Venice sits off the almost negligible "mainland" of the Veneto region. After all, trying to compete with Venice is a lost cause. Just think of all the places on various continents that have tried—with pathetic results—to position themselves as "another" Venice: the Venice of the north, the Venice of Asia, the Venice of the Americas and so on. Venice is a truly unique city: a city built on fragile land in an archipelago of small islands scattered around a lagoon and eternally threatened by *acqua alta,* or high water. Venice inherited Rome's autonomy and Byzantium's gold, and for centuries it dominated the Adriatic and the eastern Mediterranean, with an innovative form of government and a tight-knit social fabric reflected in the very look of the city, its churches and buildings, its clubs and canals, its bridges and bell towers. Venice is surrounded by a constellation of seafaring cities on the lagoon: the islands of Murano and Torcello, the luxurious Lido, colorful Burano, Chioggia with its lively canal and the silent Caorle.

But if you come to Venice over land rather than by sea, you'll see the Veneto and realize that it has its own charms. You may even decide not to go all the way to the lagoon, as it's easy to be sidetracked by the fields, cities and mountains of Veneto. This is the Veneto of green hills, vineyards with vines waving in the wind, red brick walls and even the stifling humidity of Bassa or the cool breeze from the Dolomites, a far-away mirage visible beyond the last mooring in the lagoon. Setting aside the traditional rivalry between neighborhoods, and even between families (no coincidence that *Romeo and Juliet* with its battle between the Capulets and the Montagues is set in the Veneto region, between Verona and Vicenza), the inhabitants of Veneto who live on solid ground are aware that they inhabit a marvelous region. Veneto stretches from the Dolomites to the Po to the lagoons and offers a wide variety of environments.

Indeed, every city in the Veneto region has a story to tell. These are often stories of war, which explains the large number of beautiful walled cities in this region, including Este, Cittadella, Castelfranco, Bassano, Montagnana, Feltre, Monselice and Marostica. Padua is a city for education and religion: It houses both a famous university and the church that contains the venerated remains of Saint Anthony. In the 1400s, Padua rivaled Florence as one of the most advanced Humanist societies. Donatello's bronzes and Mantegna's early works stand as evidence of this. Consider Verona, site of an enormous Roman arena and an extensive Medieval historic center that recalls the Scaliger family, or Vicenza, shaped by the genius of Palladio and the central point for the "Ville Venete civilization," a period of great art, architecture and cultivation of land that lasted from the 1500s to the 1700s. Palladio created and designed buildings, arches, churches, bridges, convents, theaters and public buildings, but no doubt it is his villas that are the most admired and are considered his best work. Palladio's villas all share elements of the architectural ideal that inspired their creator: the classical world. But Palladio also had a sensitive way of interpreting nature and creating an intense dialogue between nature and architecture. These are keys to understanding the spirit of Veneto and appreciating fully its values of humanity, nature, beauty and peace.

A FIANCO: ALL'ESTREMITÀ DEL CANAL GRANDE, SULLA PUNTA PROTESA VERSO IL BACINO DI SAN MARCO SORGE LA BASILICA VOTIVA DI SANTA MARIA DELLA SALUTE. COSTRUITA DA BALDASSARRE LONGHENA PER CELEBRARE LA CESSAZIONE DELLA PESTE DEL 1630, È IL PIÙ CELEBRE EDIFICIO BAROCCO DI VENEZIA. IL MARMO CANDIDO E LA CUPOLA RIGONFIA SONO UNA PRESENZA INCONFONDIBILE NEL CUORE DELLA SERENISSIMA.

OPPOSITE: AT THE END OF THE GRAND CANAL, ON A NARROW PIECE OF LAND THAT POINTS TOWARD THE BAY OF SAN MARCO, STANDS THE VOTIVE BASILICA OF SANTA MARIA DELLA SALUTE. BUILT BY BALDASSARRE LONGHENA IN 1630 IN RESPONSE TO THE END OF THE PLAGUE, IT IS VENICE'S BEST-KNOWN BAROQUE BUILDING. THE CHURCH'S WHITE MARBLE AND ITS LARGE ROUNDED DOME MAKE IT AN UNMISTAKABLE SIGHT IN THE HEART OF THIS CITY.

Venezia

Si può tentare di descrivere in poche righe Venezia? No. Non ci sono descrizioni o immagini che possano sintetizzare l'emozione profonda, veramente unica al mondo, suscitata da una città incomparabile. L'arcipelago di isolette sparse nelle acque della laguna su cui avevano trovato rifugio le popolazioni terrorizzate dalle invasioni barbariche si è trasformato attraverso i secoli in una splendente regina dei mari e della storia, con una parabola di gloria che dopo aver toccato l'apice nel Rinascimento si è poi avviata verso il declino. La delicata conservazione di un ambiente urbano straordinario, l'intrico labirintico dei canali e delle strade, i monumenti spettacolari di diverse epoche e di vari stili, la ricchezza del patrimonio artistico, fanno di tutta Venezia un gigantesco, palpitante museo: che tuttavia continua a rinnovarsi e ad agire nel presente, con tutta la vitalità dell'antico Leone alato, simbolo di san Marco e della Serenissima Repubblica. In questa immagine si nota la confluenza del Canal Grande con il canale della Giudecca. L'affilata Punta della Dogana, recentemente restaurata e riaperta, è diventata la sede di importanti mostre di arte contemporanea, mentre sullo sfondo si leva la nobile architettura palladiana della chiesa del Redentore.

Venice

Who could describe Venice in just a few words? No words or images can completely encapsulate the deep emotion, truly unique in the world, that is inspired by this incomparable city. The archipelago of small islands in the waters of the lagoon offered shelter to a population terrorized by barbarian invaders. Over the centuries, it was transformed into a splendid place, reigning over the sea and rich in history. Venice's glory days reached their peak during the Renaissance and then declined. The carefully preserved extraordinary urban environment, a tightly knit maze of canals and streets, spectacular buildings of different eras and styles and a rich artistic legacy all combine to make Venice a true enormous open-air museum that still manages to keep itself fresh and exist in the present with all the vitality of the ancient winged lion, a symbol of Saint Mark and the Republic of Venice. This photo shows the point where the Grand Canal joins with the canal in Giudecca. The sharp Punta della Dogana was recently restored and reopened and has become a site for major art exhibits. In the background is an impressive Palladian church, the Chiesa del Redentore.

Padova

Padova è uno dei grandi centri culturali e scientifici d'Italia, grazie all'antica università e ad una tradizione ininterrotta di letteratura, teatro e arte. Fra i molti monumenti della città, la basilica dedicata a sant'Antonio, iniziata nel 1232 per custodire le veneratissime reliquie del santo morto appena l'anno prima, è un edificio del tutto atipico: il suo stile offre una commistione equilibrata e irripetibile tra svariati influssi stilistici. Mentre la robusta parte bassa dell'intero complesso corrisponde sostanzialmente alla tradizione architettonica romanico-gotica, la successione di cupole, torricelle e campanili absidali sottili come minareti conferisce alla grande chiesa un suggestivo aspetto orientale. Sulla sinistra della larga facciata a capanna sorge il monumento equestre in bronzo del condottiero Erasmo da Narni, detto il Gattamelata, capolavoro di Donatello.

Padua

Padua is one of Italy's cultural and scientific centers, thanks to its ancient university and an uninterrupted history of literature, theater and art. The city's many important buildings include Saint Anthony's Basilica, begun in 1232 to house the holy remains of the saint, who had only died the previous year. It's an entirely original building in every way. It mixes various stylistic influences in a balanced and inimitable manner, and the lower part of the complex mainly reflects the Roman-Gothic tradition, a series of domes, towers and apsidal bell towers as thin as minarets lend the great church an interesting Oriental flavor. To the left of the large hut facade stands Donatello's bronze equestrian monument of Erasmus of Narni, known as Gattamelata.

L'Arena di Verona
Con il suo robusto duplice giro di arcate, l'Arena di Verona è uno degli anfiteatri meglio conservati del mondo romano (I secolo d.C.): le sue vaste gradinate ospitano tuttora folle di appassionati spettatori, soprattutto in occasione dei grandiosi allestimenti di opere liriche nella stagione estiva. Essa può essere considerata il più importante resto archeologico classico dell'intera Italia del Nord.

Verona's Arena
With its substantial double row of arcades, the Arena in Verona (1st century A.D.) is one of the best preserved amphitheaters from the Roman era. The grand steps still regularly fill with enthusiastic spectators, especially when elaborately staged operas are performed there during the summer season. This is one of the most important classic archeological sites in northern Italy.

A fianco: Verona
Nel cuore storico di Verona l'Adige (il secondo fiume italiano per lunghezza, dopo il Po) disegna una doppia ansa. È come un'infinita balconata da cui godere vedute e scorci sempre nuovi: campanili, facciate, guglie, torri medievali segnalano i monumenti principali. In questa immagine, presa dall'alto della collina in cui si trova il Teatro Romano, si vede al centro il Ponte Pietra, in parte romano e in parte medievale, che conduce al Duomo, con l'abside romanica e il campanile rinascimentale. Sullo sfondo, a destra, la cupola cinquecentesca di San Giorgio in Braida.

Sopra: Verona, Piazza Bra
La piazza che circonda l'Arena è il prediletto luogo d'incontro degli abitanti di Verona. La particolare posizione geografica, tra il corso dell'Adige, le prime pendici dei monti Lessini e il poco lontano lago di Garda, è la chiave per comprendere l'autonomo sviluppo storico della città e il suo affascinante aspetto urbanistico e monumentale. Verona ha saputo conservare praticamente intatto il patrimonio artistico, in un reticolo viario compatto, punteggiato da edifici grandiosi di varie epoche, di straordinario fascino ambientale ed evocativa poesia. La città tutta intera, entro l'ampia cerchia di mura che protegge le due sponde del fiume, si lascia leggere oggi come una felice combinazione tra spettacolari resti romani, grandi chiese medievali, ricordi della signoria degli Scaligeri, palazzi rinascimentali, inattesi giardini e testimonianze del passato di piazzaforte militare lungamente contesa; tuttavia, insieme ai suoi monumenti Verona invita al piacere di camminare fino a perdersi tra vie e piazze sempre bellissime, ognuna con un suo carattere peculiare. Così si capisce davvero la famosa frase di Shakespeare, secondo il quale "non c'è altro mondo al di fuori delle mura di Verona".

Opposite: Verona
The Adige River (Italy's second longest, after the Po river) executes two large turns through the historic heart of Verona. Following the river provides an ever-changing view of the bell towers, facades, steeples and Medieval towers of the city's major buildings. This photograph was taken from the top of the hill, where the Roman Theater is located. In the center is the Stone Bridge, part Roman and part Medieval, which leads to the main cathedral with its Roman apse and Renaissance bell tower. In the background on the right is the San Giorgio in Braida dome, dating back to the 1500s.

Above: Piazza Bra in Verona
Residents of Verona often meet up in Piazza Bra, where Verona's Arena is located. The city's geographic position—between the Adige River, the slopes of the Lessini mountains and nearby Lake Garda—shows how the city, its plan and its architecture evolved. Verona has kept its historical legacy almost completely intact and exists today as a varied and compact grid with imposing buildings from a range of different eras. It is a fascinating environment and almost poetically evocative. The entire city, which stands inside a wide ring of walls that protect the two banks of the river, can today be seen as a fortunate combination of spectacular Roman ruins, grand Medieval churches, traces of the Scaliger era, Renaissance buildings, hidden gardens and testimony to its hard-fought past as a military stronghold. Verona and its sites invite the visitor to wander down its beautiful streets and piazzas, each one unique. Shakespeare got it right when he wrote, "There is no world outside Verona's walls."

Sopra: Vicenza
Nel cuore di Vicenza, i loggiati della Basilica recano l'inconfondibile impronta di Andrea Palladio. Grazie al grande architetto, Vicenza merita davvero l'appellativo di "città d'autore": un tranquillo centro di provincia si è trasformato nel laboratorio di un classicismo limpido e solenne, ben presto ammirato, studiato e imitato da architetti e urbanisti di tutto il mondo. Tuttavia, il pur prestigioso legame tra Vicenza e Palladio non esaurisce il fascino di una città tutta da scoprire: accanto ai volumi disegnati dal genio del Cinquecento convivono chiese medievali ricche di opere d'arte inaspettate, case e palazzetti dai fragranti ornamenti gotico-fioriti, logge e portali di un finissimo Rinascimento, ampi spazi di verde attraversati dalle acque di fiumi e canali, strade che si perdono al di là delle basse mura di mattoni e vanno verso i colli. Il risultato è una grazia pacata e armoniosa che scorre in ogni angolo, dalla piazza più celebre al vicolo più remoto, come un unico spazio comune, aperto alla dolcezza di vivere, a una storia senza sussulti.
A fianco: Treviso
Tranquilla e gradevole sotto ogni aspetto, in un equilibrato rapporto con l'incantevole campagna circostante, Treviso presenta un centro storico attraversato da fiumi e canali, ricco di monumenti ma anche di scorci inaspettati. Proprio nel centro della città, il popolare nucleo della Pescheria occupa un'isoletta, circondata da case a portici e romantici giardinetti.

Above: Vicenza
The arcades of the basilica in the heart of Vicenza mark it clearly as the work of Andrea Palladio. Vicenza is truly that architect's best-known work—a peaceful town that served as his laboratory for developing a clean, somber, classic style that went on to be admired, studied and imitated by architects and urban planners around the world. Though Vicenza is forever linked with Palladio, and rightly so, there is still more to discover in this charming town: The 16th-century architect's work is intermingled with Medieval churches that house surprising works of art, houses and small palaces with elaborate late Gothic decorations, arcades and gates that exhibit Renaissance refinement, open green spaces crisscrossed by streams and canals and roads that lead past the low brick walls and up into the hills. They combine into a calm and peaceful place with something beautiful to discover around every corner, from the most famous piazza to the most hidden alleyway. Vicenza is a unique public space that not only remains highly livable today, but still speaks of the past in quiet tones.
Opposite: Treviso
Treviso is peaceful and pleasant in every way and relates beautifully to the lovely surrounding countryside. Treviso's historic center is crisscrossed by streams and canals, and it has its share of impressive buildings, while also offering surprising views. The fish market sits on a small island in the very center of the city, surrounded by homes with porticoes and lovely little gardens.

Malcesine e il lago di Garda
Il bacino del lago di Garda, il più vasto tra i laghi italiani, è interamente circondato da un susseguirsi di antiche cittadine e di emozionanti scorci paesaggistici. Lungamente contesi tra diversi Stati (i signori di Milano e di Verona, la Repubblica di Venezia, l'Impero Asburgico), molti centri costieri del Garda sono fortificati con cerchie di mura e robusti castelli. Quello che sovrasta Malcesine è uno dei più conservati.

Malcesine and Lake Garda
Lake Garda is Italy's largest lake, and it is surrounded on all sides by small ancient towns and stunning natural landscapes. The lake has been claimed by many nations throughout history (noble families from Milan and Verona, the Venetian Republic and the Habsburg Empire), and as a result many of the towns along its shores are protected by walls and boast large castles. The castle that overlooks Malcesine is one of the best preserved.

A fianco: Villa Contarini a Piazzola sul Brenta
Dopo la Villa Pisani di Stra, Villa Contarini è la più grande e ricca tra le ville venete. L'iniziale palazzina cinquecentesca attribuita a Palladio è il nucleo di un complesso architettonico che si è progressivamente ampliato e allargato nel XVII e XVIII secolo. Nel vasto amplissimo arco di cerchio formato dagli antistanti edifici a portici – un tempo adibiti a foresteria – ogni ultima domenica del mese si svolge un grande mercato dell'antiquariato, secondo in Italia per numero di espositori dopo quello di Arezzo.
Sopra: Villa Cornaro a Piombino Dese
Intorno alla metà del Cinquecento Andrea Palladio fissò i modelli di riferimento per la cosiddetta "civiltà delle Ville Venete", un'epoca di buon gusto, e insieme di intelligente sviluppo dell'agricoltura. A Piombino Dese, in provincia di Padova al confine con la Marca Trevigiana, sorge una delle più raffinate tra le ville progettate dal grande architetto per i patrizi veneti. Eretta tra il 1560 e il 1570, Villa Cornaro è caratterizzata dall'elegante sovrapposizione tra portico ionico e loggia corinzia, con il coronamento di un classico frontone triangolare.

Opposite: Villa Contarini in Piazzola sul Brenta
After Villa Pisani in Stra, the Villa Contarini is the largest and most rewarding of the Veneto villas. It is the earliest 16th-century building attributed to Palladio, and it is the center of a group of architectural works that progressively grew and expanded over the 17th and 18th centuries. The last Sunday of every month, Italy's second largest antiques market (only the market in Arezzo has more vendors) is set up in a wide arc along the circle created by the porticoed buildings in front of the villa that originally served as guesthouses.
Above: Villa Cornaro in Piombino Dese
In the mid-1500s, Andrea Palladio formulated the standards for what is known as the "Ville Venete civilization" to usher in an era of good taste combined with intelligent implementation of agricultural development. Villa Cornaro, one of the most refined villas that the great architect designed for Veneto aristocrats, was built in Piombino Dese, in the province of Padua along the border with the March of Treviso territory. The villa was constructed from 1560 to 1570 and is characterized by the elegant marriage of Ionic porticoes and a Corinthian *loggia,* crowned by a classic triangular pediment.

LIGURIA - LIGURIA

IL FASCINO DI UNA REGIONE "IMPOSSIBILE"
THE CHARM OF AN "IMPOSSIBLE" REGION

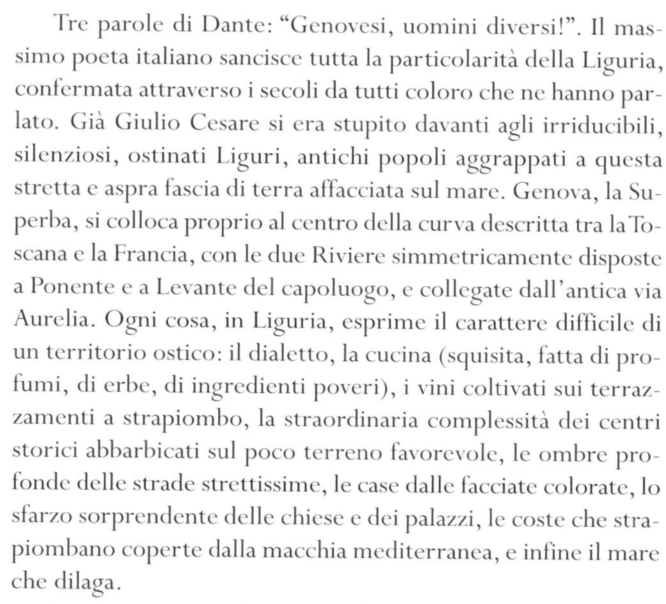

Tre parole di Dante: "Genovesi, uomini diversi!". Il massimo poeta italiano sancisce tutta la particolarità della Liguria, confermata attraverso i secoli da tutti coloro che ne hanno parlato. Già Giulio Cesare si era stupito davanti agli irriducibili, silenziosi, ostinati Liguri, antichi popoli aggrappati a questa stretta e aspra fascia di terra affacciata sul mare. Genova, la Superba, si colloca proprio al centro della curva descritta tra la Toscana e la Francia, con le due Riviere simmetricamente disposte a Ponente e a Levante del capoluogo, e collegate dall'antica via Aurelia. Ogni cosa, in Liguria, esprime il carattere difficile di un territorio ostico: il dialetto, la cucina (squisita, fatta di profumi, di erbe, di ingredienti poveri), i vini coltivati sui terrazzamenti a strapiombo, la straordinaria complessità dei centri storici abbarbicati sul poco terreno favorevole, le ombre profonde delle strade strettissime, le case dalle facciate colorate, lo sfarzo sorprendente delle chiese e dei palazzi, le coste che strapiombano coperte dalla macchia mediterranea, e infine il mare che dilaga.

La Liguria potrebbe essere sbrigativamente riassunta in pochi nomi celebrati dal *jet-set*: la rada dei *vip* a Portofino, prima di tutto, poi il casinò di Sanremo, oppure le Cinque Terre, diventate negli ultimi anni una meta internazionale. Eppure, se si va appena oltre l'immagine patinata, si scopre come perfino questi luoghi abbiano tuttora una forte identità locale, non siano affatto palcoscenici artificiali. Lo può facilmente testimoniare una passeggiata tra la millenaria abbazia di San Fruttuoso e la baia di Portofino: le luci, gli aromi, e anche la fatica sono quelli della vera Liguria. Una terra dove ogni cosa, anche la più piccola, costa fatica: e questo forse spiega la tradizionale accusa di "avarizia" nei confronti dei Liguri. Che andrebbe meglio spiegata come capacità, indotta dalla storia, di conoscere il "valore" di ciò che si possiede o che si acquista. I nobili genovesi, per secoli, sono stati tutt'altro che "avari": anzi, hanno speso somme favolose per costruire ville, palazzi e giardini (la compatta infilata rinascimentale di Strada Nuova, nel cuore di Genova, non ha rivali in Italia), per arricchire chiese e cappelle, hanno fatto venire a Genova artisti di fama mondiale come Rubens e Van Dyck, hanno permesso di costituire splendide collezioni d'arte, alcune delle quali confluite nei numerosi musei di Genova, altre invece tuttora private. I grandi aristocratici, nerbo della Repubblica Marinara, hanno saputo gestire con oculata generosità gli ampi proventi dei traffici mercantili del porto, e soprattutto dell'abilissima, innovativa gestione finanziaria.

Certo, grazie al mare limpido la Liguria è oggi percepita soprattutto come una regione "balneare", ma presto ci si accorge di come siano invece meravigliosi i paesi della costa, e affascinante, quasi misterioso, l'entroterra. Nella Riviera di Levante le coste sono spesso ripide, con scogliere di ardesia: i paesi sorti nelle insenature, intorno agli approdi, hanno colori vivacissimi, e case alte e strette, per sfruttare ogni minimo spazio disponibile. Nel Ponente, e soprattutto nella parte estrema della Liguria (dopo Imperia, verso Ventimiglia), l'entroterra è un poco più ampio: e centri antichi, come Rossese, Taggia, Dolceacqua, Pigna, sono scoperte da gustare a poco a poco. Come la focaccia o la farinata: le trovate dappertutto, ma in Liguria hanno un altro sapore.

Dante said it in just three words: *Genovesi, uomini diversi!* (Genoese, strange men!) The greatest Italian poet of all time confirmed the particular nature of Liguria. Across the centuries, many others have agreed with Dante. Julius Caesar himself was amazed by the intractable, silent, obstinate Ligures, ancient peoples who clung to this narrow, bitter strip of land along the sea. Genoa, known as "the Superb," is located right in the center of a curve between Tuscany and France, with the two Rivieras symmetrically arranged to the west and to the east of its capital and connected by the ancient Via Aurelia. In Liguria, every detail speaks to the difficult character of the land: the dialect, the cooking (delicious, but consisting of simple herbs, spices and other ingredients), the wines from grapes grown on overhanging cliffs, the extraordinary complexity of historic centers built on precipitous terrain, the dark shadows of its narrow streets, the colorful facades of the houses and the surprisingly ostentatious character of the churches and palaces, coastlines that jut out and abut the Mediterranean and the sea itself that rises to meet the shore.

Liguria can be summed up in a few names familiar to the jet-set: the VIPs flock to Portofino, above all, and to the casino in Sanremo, or the other Cinque Terre, which have become an international tourist destination in recent years. Yet if a visitor takes the time to go below that gilded surface, he discovers that even these places have strong local identities—they're anything but artificial stage sets. For evidence, the visitor needs only to take a walk amid the thousand-year-old abbey of San Fruttuoso and the bay of Portofino. The lights, smells and even the effort required all speak to the real Liguria, a place where even the smallest thing requires effort. This may explain the traditional accusation that the people of Liguria are tightfisted, but that quality is better described as the ability, which they have been forced to develop, to recognize the value of what they possess or acquire. For centuries, Genoese nobles were anything but tightfisted. Indeed, they spent enormous sums to build villas, palaces and gardens (the Renaissance row on the Strada Nuova in the heart of Genoa is without rival in Italy), to build churches and chapels, to bring world famous artists such as Rubens and Van Dyck to Genoa in order to create splendid art collections, some of which are now in the many museums of Genoa, and others of which are still privately held. The great aristocrats, the backbone of the seafaring republic, knew how to manage the proceeds of their trade through the port with shrewd generosity, and they were extremely able and innovative financial managers.

Of course, with its crystal-clear sea, Liguria today is seen as a beach locale, but while the towns along the coast are wonderful, so is the charming, almost mystical interior. In the Riviera di Levante, the coasts are often steep with slate cliffs. The towns that sprang up in the inlets, around the landings, are brightly colored, and their houses are tall and narrow in order to utilize the space as best as possible. In the Riviera di Ponente, and especially in the far west of Liguria, after Imperia, toward Ventimiglia), the interior is a little more spacious, and ancient towns such as Rossese, Taggia, Dolceacqua and Pigna are a delight to discover. Local dishes such as focaccia and farinata, a chick-pea pancake, are a delight to discover as well. You'll find them everywhere in Italy, but in Liguria they're truly special.

A FIANCO: RACCOLTA INTORNO ALLA CHIESA PARROCCHIALE ROMANICA, VERNAZZA È UNA DELLE "CINQUE TERRE", MINUSCOLI VILLAGGI INCASTRATI IN STRETTE INSENATURE TRA RIPIDE COLLINE E IL MARE. RAGGIUNGIBILI SOLO A PIEDI, IN TRENO O IN BATTELLO, SONO ANGOLI PREZIOSI, CON UN VIVACE ASPETTO POPOLARE, FUORI DAL TEMPO.

OPPOSITE: CLUSTERED AROUND THE LOCAL ROMAN CHURCH, VERNAZZA IS ONE OF THE *CINQUE TERRE*, OR FIVE LANDS—A GROUP OF TINY VILLAGES WEDGED INTO TIGHT SPACES BETWEEN STEEP HILLS AND THE SEA. THESE HIDDEN CORNERS OF THE WORLD CAN BE REACHED ONLY ON FOOT, BY TRAIN OR BY FERRY, WHICH HELPS THEM MAINTAIN THEIR UNCHANGED ATMOSPHERE AND MAKES A TRIP TO VISIT THEM FEEL LIKE GOING BACK IN TIME.

U A S C

Genova
Per lunghi decenni, con il declino della cantieristica e dei traffici marittimi, il porto di Genova appariva come il simbolo stesso della città, scivolata dalla gloria al degrado: la Lanterna, antica torre del faro che si vede sullo sfondo, sembrava un monumento alla malinconia. Negli ultimi vent'anni, una serie di eccezionali lavori di recupero e di valorizzazione, sotto la regia dell'architetto Renzo Piano, ha rilanciato il porto come presenza attiva, vitale e fantasiosa. E intorno è rifiorita tutta Genova, che ha riscoperto l'emozionante bellezza di un vastissimo centro storico, oggi tutelato in blocco dall'Unesco: tra le vie strette e tortuose (i caratteristici "carugi") sorgono gli straordinari palazzi dell'aristocrazia, molte bellissime chiese, ricchi musei. Prevalgono le architetture rinascimentali e le decorazioni barocche, risalenti al periodo di massima fama dell'antica repubblica marinara di Genova, soprannominata "la Superba".
p. 116: Genova, la Cattedrale
Sul sagrato della cattedrale di Genova sono accoccolate sculture di leoni, quasi per controllare i turisti, stupefatti per la ricchissima decorazione in marmi policromi della facciata romanica.
p. 117: Genova, Santa Maria delle Vigne
Il centro storico di Genova, ricavato su una fascia di terreno stretta tra ripide alture e il mare, è dal punto di vista urbanistico un inestricabile e affascinante rompicapo. I campanili delle chiese, come la romanica torre di Santa Maria delle Vigne, sono preziosi punti di riferimento.

Genoa
For decades, with the disappearance of the shipbuilding industry and maritime traffic, the port of Genoa stood as a symbol of the city itself, which had declined rapidly from its glory days. The Lanterna, an ancient lighthouse seen in the background, seemed like some kind of monument to melancholy. Yet in the last twenty years, exceptional restoration and improvement work overseen by architect Renzo Piano helped relaunch the port as an active, vital and creative presence in the city. Around it, the rest of Genoa awakened, and now the city's large historic center, protected by UNESCO, is once again looking beautiful. The narrow winding streets (Genoa's characteristic *carugi,* in dialect) are lined with wonderful aristocratic palaces, gorgeous churches and impressive museums. Renaissance architecture and Baroque details dominate, which is only natural, given that most of the structures date back to the peak of the ancient seafaring republic of Genoa, nicknamed the *Superba.*
p. 116: Genoa's Cathedral
Sculptures of lions sit on their haunches around the churchyard of Genoa's cathedral, almost as if they're starting back at the tourists, who are themselves amazed by the lavish polychrome marble decoration on the Romanesque facade.
p. 117: Genoa, Santa Maria delle Vigne
The historic center of Genoa, carved out of a small strip of land between the steep heights and the sea, is completely fascinating from an urban-planning perspective. The churches' bell towers and the Romanesque tower of Santa Maria delle Vigne are key reference points that visitors can use to orient themselves.

A fianco: Riomaggiore
Sovrapposte quasi una sopra l'altra, le case di Riomaggiore rendono efficacemente l'idea della particolarissima disposizione "a terrazze" delle Cinque Terre, dai colli coltivati a vigneti fino al minuscolo porticciolo.
Sopra: Camogli
La piccola Camogli ha goduto per un certo periodo di una discreta autonomia economica grazie alla flotta peschereccia. Il porto è circondato dalle altissime case multicolori, quasi dei "grattacieli" del passato.

Opposite: Riomaggiore
The houses in Riomaggiore almost seem to be stacked one on top of another, clearly displaying the unusual "terraced" construction of the Cinque Terre, from the vineyard-covered hills to the small port.
Above: Camogli
At one time, tiny Camogli was economically independent thanks to its fishing fleet. The port is surrounded by very tall multi-colored houses—the "skyscrapers" of their day.

Camogli, la chiesa parrocchiale
Il piccolo promontorio su cui sorge la pittoresca chiesa parrocchiale divide la spiaggia dal porticciolo di Camogli.

Camogli: Parish Church
The charming parish church sits on a small promontory that separates the beach from Camogli's port.

Sopra: l'Abbazia di San Fruttuoso
La millenaria abbazia di San Fruttuoso è incastonata tra una minuscola spiaggia di ciottoli, le balze del Monte di Portofino, la macchia mediterranea aggrappata alla roccia che scende fino a lambire il mare. Raggiungibile soltanto via mare o per scoscese mulattiere che partono da Portofino o da Camogli, l'abbazia offriva ai monaci benedettini dell'anno Mille il perfetto isolamento dagli affanni terreni e dalle insidie mondane: nella meraviglia di un ambiente naturale inimitabile, la chiesa, il chiostro e gli ambienti conventuali erano un luogo di raffinata bellezza, un piccolo ma convincente prototipo della Città di Dio, la Gerusalemme Celeste. Si spiegano così i dettagli preziosi, come i marmi romani incastonati nella facciata, ora recuperati ed esposti con garbo, le colonnine tortili del chiostro, l'altezza stessa della torre che sovrasta la chiesa. Nell'abbazia, articolata intorno a un singolare chiostro romanico a due piani, si trova anche il sepolcreto della potente famiglia genovese dei Doria.
A fianco: Vernazza
I resti di una torre di guardia cilindrica dominano l'abitato di Vernazza. La cittadina delle Cinque terre è circondata dalle coste dirupate, scogliere di ardesia che scendono a picco. In alto a destra si scorgono i terrazzamenti dei vigneti che producono un celebre vino bianco.

Above: Abbey of San Fruttuoso
The thousand-year-old Abbey of San Fruttuoso is wedged between a tiny pebble beach and the cliffs of Monte di Portofino. Mediterranean brush grows along the rocks and all the way down to the sea. The abbey can be reached only by boat or via steep mule paths from Portofino or Camogli. In the year 1000, the abbey offered Benedictine monks complete isolation from earthly concerns and worldly dangers. In an incredibly beautiful natural environment, the church, the cloister and the convent offered an oasis of elegant beauty, meant to be a small prototype for the City of God, Heavenly Jerusalem. That's why so many rarefied details were used here, such as the Roman marble set into the facade, now restored and gracefully displayed and the cloister's spiral columns, which are the same height as the tower that overlooks the church. In the abbey, arranged around a single, two-story Romanesque cloister, is the burial ground of the powerful Genoese Doria family.
Opposite: Vernazza
The remains of a cylindrical watchtower dominate the residential area of Vernazza. This small town in the Cinque Terre is set along a steep coastline with jagged slate cliffs. At the top right are the terraced vineyards that produce a famed local white wine.

Portofino

La baia di Portofino è uno dei più celebri scenari del *jet-set* internazionale: in qualunque stagione il porto incastonato e i locali sulle calate fra le case multicolori ospitano *yacht* lussuosi e personaggi celebri. Ma la mondanità non ha minimamente modificato lo straordinario connubio tra natura e architettura: il borgo marinaro è rimasto assolutamente intatto, con le pendici verdi delle colline che si specchiano nel mare, e le ville che si diradano sulle alture, raggiungibili solo attraverso stretti sentieri.

Portofino

The bay of Portofino is one of the most famous jet-set and celebrity hangouts in the world. At any time of year, the port is filled with luxury yachts and well-known personalities sit in the city's numerous restaurants and cafes, which perch on slopes dotted with colorful houses. But the arrival of high society has not had an effect on the marvelous interplay of nature and architecture in this city. Indeed, this seafaring town has remained untouched. The sea reflects the green slopes and the villas, which can only be reached via narrow footpaths.

ANTICHITÀ

TOSCANA - TUSCANY

LA BELLEZZA COME AUTENTICA DIMENSIONE DELL'UOMO
BEAUTY ON A HUMAN SCALE

Gli scorci del paesaggio toscano, come le candide cave di marmo che scintillano sulle Alpi Apuane, le fresche valli del Casentino, i colli del Chianti, l'equilibrio meraviglioso della Val d'Orcia, la magia etrusca della Maremma e dell'Uccellina, sembrano fatti apposta per rinnovare l'insolubile questione che appassiona antropologi, storici, psicologi, appassionati d'arte. È l'uomo a modellare l'ambiente e la storia, oppure avviene esattamente il contrario? Come si può scindere l'entusiasmante civiltà della Toscana dal contesto ambientale in cui è nata?

Non si può, e non si deve. Qui natura e cultura, paesaggio e arte, sono un tutt'uno. E la varietà delle situazioni ambientali può almeno in parte spiegare il tradizionale attaccamento "di campanile", lo spirito di competizione che da secoli contraddistingue il carattere dei toscani. Toscana significa millenni di tesori immersi in uno straordinario ambiente naturale e urbanistico: dagli Etruschi alle pievi romaniche, dai fasti marmorei della Repubblica Marinara di Pisa e delle bellissime chiese di Lucca e di Pistoia, fino all'apoteosi gotica di molti centri rimasti intatti (pensiamo a San Gimignano) e dell'incomparabile Siena, che si specchia nella conca ammattonata di Piazza del Campo.

Ma con l'aprirsi del Trecento, all'epoca di Dante e di Giotto, la "dimensione" della cultura toscana esce di gran lunga dalla regione, e quasi scendendo le acque dell'Arno si offre al mondo. È la lunga stagione in cui, partendo da Firenze, nascono e si sviluppano l'Umanesimo e il Rinascimento. Va sottolineato che buona parte dell'arte fiorentina è nata per essere esposta all'aperto: oggi possiamo avere un'idea solo parziale dell'emozione di un passante quattro-cinquecentesco che nelle vie di Firenze si trovava immerso in un'atmosfera carica di suggestione: eppure, parliamo tuttora di "museo all'aperto" per la loggia dei Lanzi e piazza della Signoria, pur dovendoci accontentare (per ragioni di conservazione) solo di copie più o meno fedeli di opere capitali come il David di Michelangelo o la Giuditta di Donatello. C'è stato un tempo magico in cui scendendo per strada si poteva davvero dialogare con i grandi capolavori dei maestri del Rinascimento. Bastava poi entrare nelle chiese per trovare, negli affreschi, la nobiltà morale di Masaccio, la calcolata geometria di Piero della Francesca, la purezza incantevole del Beato Angelico. Alla committenza medicea si legano poi le allegorie profane di Botticelli: in breve, le più celebri immagini del Quattrocento italiano. L'equilibrio e la dignità intrinseca nell'uomo portano Brunelleschi a immaginare uno spazio armonico, basato su leggi matematiche, in cui ci sentiamo perfettamente a nostro agio. È difficile resistere alla tentazione di paragonare la Firenze di Lorenzo il Magnifico con la Atene di Pericle: di vedere la primavera dell'Umanesimo come la chiave di una civiltà che pone l'uomo al centro e a misura di tutte le cose per giungere a una forma di organizzazione sociale che esalta la cultura e l'arte, grazie alla creatività di architetti, pittori e scultori che celebrano le risorse dell'intelligenza applicando la nitida perfezione della geometria alla corretta "imitazione" della natura.

A tanti secoli di distanza, l'Umanesimo può forse apparire una generosa utopia, le cui premesse di armonia universale e di recupero di una civiltà governata dalla serenità del pensiero hanno trovato solo in parte realizzazione nel pieno Rinascimento: e tuttavia, resta nella storia del mondo una delle epoche più esaltanti dello spirito e della mente dell'uomo.

Tuscany's picturesque countryside, its white marble quarries glittering in the Apuan Alps, the cool valleys of Casentino and the hills of Chianti, the marvelous Val d'Orcia, the Etruscan magic of the Maremma and Uccellina areas all seem to have been designed to inspire the eternal question that anthropologists, historians, psychologists and art lovers have long asked: Does man create his environment and history, or is it the opposite? How can you possibly separate Tuscany's amazing civilization from the natural environment in which it was born?

The real answer is that you cannot, and you don't have to. Here, nature and culture, landscape and art are one. And the variety of environments in Tuscany can, at least in part, explain the allegiance that this region's residents traditionally have to their own native area and the spirit of competition that has been a characteristic of Tuscans for centuries. Tuscany houses thousands of years' worth of treasures in an extraordinary natural and urban environment: from Etruscan ruins to Romanesque parish churches, from the marble magnificence of the seafaring republic of Pisa to the beautiful churches of Lucca and Pistoia, to the Gothic exaltation of many cities that has remained intact (San Gimignano, for example) and the outstanding city of Siena with its brick seashell-shaped Piazza del Campo.

But beginning in the 1300s, during the era of Dante and Giotto, Tuscan culture began to spread far from the region and seemed almost to flow like water from the Arno out into the world. During this long-lasting period, Humanism and the Renaissance were born and developed and word of them spread from Florence. Much of Florentine art was intended to be displayed outside. We can only imagine today what it was like to stroll through the evocative streets of Florence in the 15th and 16th centuries. Today, the Loggia dei Lanzi on the Piazza della Signoria still serves as an "outdoor museum," and though we have to settle (for reasons of conservation) for more and less faithful copies of important works like Michelangelo's *David* and Donatello's *Judith and Holofernes*, there was a magical time when someone walking the streets could encounter the great masterpieces of the Renaissance masters. Back then, all you had to do was step into a church to experience the noble and moral figures by Masaccio, the carefully calculated geometry of Piero della Francesca, the enchanting purity of Fra Angelico. The Medici family commissioned Botticelli's allegories, which are the best-known images from Italy in the 1400s. Man's equilibrium and intrinsic dignity inspired Brunelleschi to conceive of his dome, a harmonious space based on the laws of mathematics that feels perfectly comfortable and right.

There is a strong temptation to compare the Florence of Lorenzo the Magnificent to the Athens of Pericles. You can see how Humanism inspired a civilization that revolved around man and made all things to human-scale in order to create a society that valued culture and art, relying on the creativity of architects, painters and sculptors who venerated intelligence by applying the perfection of geometry to "imitate" nature correctly.

Many centuries later, Humanism may appear a utopian ideal based on the concepts of universal harmony and a civilization governed by peace of mind—concepts that were only partially realized during the Renaissance itself. Yet in the span of world history, the Renaissance remains one of the most inspirational eras for both mind and spirit.

A FIANCO: LA SCENOGRAFICA PIAZZA GRANDE SI APRE NEL CENTRO DI AREZZO, SU UN DECLIVIO IN PENDENZA. LA RAFFINATA PAVIMENTAZIONE (SCALINATE, BLOCCHI DI PIETRA, AMMATTONATO A SPINA DI PESCE) È CIRCONDATA DA UNA CORNICE DI ANTICHI EDIFICI, IMMAGINE DELL'ORGOGLIOSO LIBERO COMUNE.

OPPOSITE: AREZZO'S ARRESTING PIAZZA GRANDE SITS IN THE CENTER OF TOWN, ON A STEEP SLOPE. THE ELEGANT SURFACE (STEPS, BLOCKS OF STONE AND HERRINGBONE BRICK PATTERNS) IS FRAMED BY ANCIENT BUILDINGS, ALL REPRESENTATIVE OF THE PROUDLY FREE COMMUNE.

Firenze

Per quanto si possa essere circondati da turisti di ogni continente, visitare Firenze è sempre un'esperienza interiore di grande profondità. Attraverso le tappe fondamentali e i grandi maestri dell'arte occidentale, dal Medioevo in poi, passo dopo passo, ci si immedesima nella straordinaria luce di un faro della civiltà. Si ha la piena percezione di come a Firenze l'arte e la cultura venissero prima della politica e delle armi; di come i concetti di proporzione, di armonia, di senso del bello fossero accessibili a tutti, e condivisi da ogni settore della società. Con un brivido d'orgoglio, non tarderemo a sentirci eredi di questo straordinario retaggio, in cui l'arte si propone come modello civile di convivenza, di tolleranza, di ricerca della qualità.

A fianco: panorama del centro storico

Dalle morbide colline di Oltrarno si spalanca lo scenario del centro storico di Firenze. Fra le case antiche spuntano solenni i monumenti che hanno segnato tappe decisive nella storia dell'architettura occidentale dal Medioevo al Rinascimento. Sulla sinistra, forte come un castello, sorge solenne Palazzo Vecchio, con la snella torre progettata da Arnolfo di Cambio. Al centro, oltre le due torri di pietra della chiesa di Badia e del palazzo del Bargello, si dilata l'inconfondibile cattedrale di Santa Maria del Fiore, con il rivestimento geometrico di marmi bianchi e verdi, inquadrata tra il Campanile di Giotto e l'incomparabile cupola di Brunelleschi.

Florence

Despite the fact that a visitor to Florence is inevitably surrounded by tourists from around the world, the city still offers a uniquely moving and private experience. Visiting the sites and viewing the works of the great masters of Western art, from the Medieval era onward, the visitor is bathed in the extraordinary light given off by this beacon of civilization. It's clear that in Florence, art and culture come before politics and arms. It's also clear that the concepts of proportion, of harmony and of a sense of beauty are shared by all, across every part of society. With a shiver of pride, we can all feel that we have inherited this extraordinary legacy that proposes art as a civic model for coexistence, tolerance and a constant search for the highest quality.

Opposite: View of the Historic Center

The lovely hills of Oltrarno offer a scenic view of Florence's historic center. The ancient houses alternate with monuments to important moments in Western architectural history, from the Middle Ages to the Renaissance. At left, the Palazzo Vecchio stands as strong as a castle with the thin tower designed by Arnolfo di Cambio. In the center, two stone towers form the Badia church, and the Palazzo del Bargello is visible, as is the iconic Church of Santa Maria del Fiore, with its geometric white and green marble, framed by Giotto's bell tower and Brunelleschi's incomparable dome.

A fianco: Firenze, Santa Maria del Fiore
Nella cattedrale di Firenze due dei massimi geni dell'arte di tutti i tempi si confrontano, a un secolo di distanza: intorno al 1330 Giotto, che verso la fine della sua carriera alterna l'attività di pittore con quella di architetto, progetta il solido campanile; a partire dal 1416 Filippo Brunelleschi avvia la realizzazione della grandiosa cupola, solenne capolavoro dell'Umanesimo.
Sopra: Firenze, la fontana di Nettuno
La fontana di Nettuno, opera di Bartolomeo Ammannati, è uno dei capolavori di scultura che si allineano in Piazza della Signoria: autentico museo all'aperto, è il simbolo stesso della strettissima fusione tra arte e politica che ha caratterizzato la gloriosa storia di Firenze.

Opposite: Santa Maria del Fiore in Florence
Two of the all-time greatest artistic geniuses worked on Florence's cathedral a century apart: Circa 1330, Giotto, who later in his career would work as both painter and architect, designed the solid tower, and in 1416, Filippo Brunelleschi began to construct his dome, a masterpiece of Humanism.
Above: Florence: Neptune's Fountain
Neptune's Fountain, created by Bartolomeo Ammannati, is one of the sculpture masterpieces that line the Piazza della Signoria, a true open-air museum and a symbol of the close ties between art and politics that characterize the glorious history of Florence.

Firenze, il Ponte Vecchio
Durante l'occupazione tedesca nella Seconda Guerra Mondiale i ponti di Firenze furono abbattuti: ma il Ponte Vecchio fu salvato. Il suo inconfondibile aspetto, le arcate panoramiche sull'Arno, il passaggio del Corridoio Vasariano sulla parte alta prevalsero sulle ragioni della guerra, e lo rendono tuttora uno dei ponti più celebri del mondo.

Florence: Ponte Vecchio
Under the German occupation during World War II, Florence's bridges were destroyed, save for the Ponte Vecchio. Respect for this iconic structure with its panoramic arcades over the Arno and the Corridoio Vasariano walkway on the upper part of the bridge prevailed even over the thirst for destruction induced by war. Today it is one of the most famous bridges in the world.

Lucca, la facciata di San Michele
Tuttora chiusa all'interno dell'intatta cerchia di mura, fra le grandi città d'arte della Toscana Lucca è la più esclusiva e segreta. Superate le antiche porte, ci si trova immersi in un'atmosfera di straordinario fascino, in cui i segni dei secoli si sovrappongono con armonia. Tra le splendide chiese romaniche, spesso con facciate a loggiati sovrapposti e rivestite di marmi, quella dedicata a San Michele occupa il centro geometrico della città, corrispondente all'antico Foro romano.

Lucca: Facade of San Michele
Lucca, still enclosed within intact walls, is the most private and secretive of Tuscany's great *città d'arte*. Through the city's ancient gates, extraordinary beauty awaits in a place where the various centuries co-exist peacefully. Among the splendid Romanesque churches, many of them with loggias on their facades and covered in marble, the Church of San Michele stands at the geometric center of the city where its ancient Roman forum once stood.

A fianco: San Gimignano
Irto di solide torri, San Gimignano è un borgo medievale straordinariamente ben conservato. Libero Comune nella Toscana meridionale, San Gimignano ha avuto una particolare fioritura durante il XIV secolo, all'apice della coltivazione e del commercio dello zafferano. Al di là dei notevolissimi monumenti e delle prestigiose opere d'arte, il centro storico è memorabile soprattutto per la compatta urbanistica medievale, con case in pietra, vie selciate, piazze concepite come veri e propri scenari per la vita quotidiana.
pp. 138-139: la cappella della Madonna di Vitaleta, San Quirico d'Orcia
Qualcuno ritiene che la campagna senese, soprattutto la Val d'Orcia, sia il più bel paesaggio d'Italia. La cappella della Madonna di Vitaleta, ricostruita nell'Ottocento su modelli rinascimentali, si trova su una strada che porta da Pienza a San Quirico d'Orcia. L'equilibrio tra la delicata architettura, i colori, diversi nelle stagioni ma sempre così armoniosi, le sinuose forme delle colline senesi, rendono questa veduta una vera e propria icona del paesaggio italiano nel mondo. Il connubio tra arte e natura, tra ambiente naturale e intervento umano sembra in questi luoghi essere quasi perfetto.

Opposite: San Gimignano
Bristling with towers, San Gimignano is an extraordinarily well preserved Medieval town. A free commune in southern Tuscany, San Gimignano's glory days took place in the 14th century, at the peak of the saffron trade. Aside from its many notable buildings and prestigious works of art, the historic center is memorable for its Medieval urban plan. Stone houses, paved roads and piazzas were designed to serve as backdrops for daily life.
pp. 138-139: Chapel of Madonna di Vitaleta in San Quirico d'Orcia
Some say that the countryside around Siena, especially the Val d'Orcia, is Italy's most beautiful. The Chapel of Madonna di Vitaleta, rebuilt in the 1800s based on Renaissance designs, is set on a road that leads from Pienza to San Quirico d'Orcia. The balance between delicate architecture, colors, which change according to the seasons but are always in sync with each other, and the curved shapes of the Siena hills, make this view a truly iconic image of Italian countryside recognized around the world. The marriage of art and nature, of natural environment and human invention, seem almost perfect in this place.

CIAO

A fianco: Siena
In un contesto trecentesco di eccezionale suggestione, il Palazzo Pubblico di Siena si affaccia sull'incavo di Piazza del Campo, assecondando con l'ampia facciata la curva del terreno. Gotica, autonoma, orgogliosa della propria unicità, Siena occupa un movimentato territorio di vallette e di piccole alture: ne nasce un'urbanistica meravigliosa, con compatte cortine di edifici antichi su cui svettano le torri e le grandiose moli del Duomo, delle chiese principali e del palazzo, il cui interno è decorato dagli affreschi dei grandi pittori senesi del primo Trecento, come Simone Martini e Ambrogio Lorenzetti.
Sopra: Siena, la Fonte Gaia
In Piazza del Campo, di fronte al Palazzo Pubblico si trova la Fonte Gaia, una fontana realizzata all'inizio del Quattrocento da Jacopo della Quercia, ennesima dimostrazione dello strettissimo legame tra committenze artistiche e pubblica utilità. Fra le sculture ricorre la figura della lupa, simbolo della città.

Opposite: Siena
In an exceptionally evocative 14th-century context, Siena's Palazzo Pubblico faces the slightly sunken Piazza del Campo, and its sweeping facade follows the natural curve of the land. Gothic, autonomous, proud of its unique heritage, Siena is located in a lively area of small valleys and hills, and the city itself is lovely, filled with ancient buildings with small courtyards, all overlooked by the Cathedral's towers and hulking presence, the major churches and the Palazzo Pubblico itself. The interior is decorated with frescoes by great Sienese painters of the early 1300s, such as Simone Martini and Ambrogio Lorenzetti.
Above: Gaia Fountain in Siena
In the Piazza del Campo, in front of the Palazzo Pubblico, stands the Gaia Fountain. This fountain was crafted in the early 1400s by Jacopo della Quercia and is one of the innumerable pieces left behind as a result of the strong ties between commissioned artwork and public utility. A wolf, the city's symbol, can be seen in the sculpture.

Sopra: Pisa
La repubblica marinara di Pisa espresse pienamente tutta la sua potenza e ricchezza nella costruzione del duomo (dal 1063), seguito dal battistero (dal 1153), dal campanile (dal 1173) e infine dal camposanto (dal 1278). Nasce così un impareggiabile gioiello dell'urbanistica e dell'architettura medievale: il "Campo dei Miracoli". La cattedrale fu avviata dall'architetto Buscheto, il cui nome ricorre nei documenti almeno fino al 1110. La facciata è invece frutto di un intervento posteriore, avvenuto probabilmente intorno alla metà del XII secolo, a opera dell'architetto Rainaldo, che, prolungate le navate, progetta il prospetto. Nella parte bassa continua la sequenza di arcate cieche che percorrono anche i lati e l'abside, mentre la parte superiore è alleggerita da una serie di loggette pensili di chiara derivazione lombarda. Impostato nel 1153, il grandioso battistero a pianta circolare propone all'esterno una decorazione su ordini sovrapposti, in stretta unità stilistica con la cattedrale. Da questa, infatti, riprende sia l'ordine inferiore di arcatelle, sia la loggetta che anima il mediano: nel XIV secolo furono inoltre aggiunte le nicchie traforate.
A fianco: la Torre
La celeberrima torre campanaria pendente fu edificata a partire dal 1173, su progetto di Bonanno Pisano, accanto alla zona absidale della cattedrale. Il campanile adotta una decorazione analoga agli altri edifici, alloggiando al livello inferiore arcate cieche su semicolonne sormontate da loggette separate da cornici sagomate. I lavori furono lunghi e si conclusero solo nel Trecento: il cedimento del terreno, a causa di una falda freatica, creò ben presto notevoli problemi tecnici, che ancora oggi conferiscono al campanile una stabilità precaria, consolidata (ma non corretta nell'inclinazione) da un recente intervento di restauro.

Above: Pisa
The seafaring republic of Pisa made a show of its considerable power and wealth by contracting the cathedral (1063), followed by the baptistery (1153), the bell tower (1173) and, finally, the churchyard (1278). Thus was born an incomparable jewel of city planning and Medieval architecture, the so-called "Field of Miracles." The cathedral was begun by architect Buscheto, whose name shows up in the records until at least 1110. The facade, however, was created later, probably around the mid-12th century, and designed by the architect Rainaldo, who planned the perspective in relation to the elongated aisles. In the lower part, the blind arcades that run along the sides and the apse continue, while the upper part is lightened with a series of small hanging loggias that are clearly Lombard in origin. The impressive baptistery, erected in 1153, is circular and on the exterior has overlapping decorations that closely match the style of the cathedral. The lower small arches were inspired by this, as was the small loggia in the middle. The open-work niches were added in the 14th century.
Opposite: Leaning Tower
Construction of Pisa's famous leaning tower was begun in 1173, and it was designed by Bonanno Pisano to be placed alongside the apse of the cathedral. The bell tower is designed to resemble the other buildings, with blind arcades at the lower level with engaged columns topped by small loggias separated from each other by molded frames. The work took many years, and the tower was not completed until the 1300s. The underlying land began to give way due to a water table, which caused significant technical problems. Today, the bell tower is still in a precarious position, though it has been shored up (but never straightened) by recent restoration.

Nel ricordo degli Etruschi
A sinistra: veduta di Sorano, con le compatte quinte delle abitazioni; sopra: il borgo medievale di Pitigliano. Nell'estremo lembo meridionale della Toscana, oltre le pendici del Monte Amiata, ormai quasi al confine con il Lazio, alcuni antichi borghi sembrano sospesi fuori dal tempo. Si raggiungono con una certa fatica, lontani come sono dalle strade principali, ma la loro scoperta è stupefacente. In un paesaggio arcaico, fra macchie di boschi e franose colline di tufo, cittadine come Pitigliano, Sorano e Sovana occupano la sommità di rilievi dalle pareti dirupate. Si tratta di abitati antichissimi: le mura urbiche e le sostruzioni delle case risalgono all'età pre-romana, al tempo degli etruschi, l'autonoma e raffinata civiltà che si stabilì nell'Italia centrale tra l'VIII e il IV secolo a.C. Oggi queste cittadine hanno un aspetto medievale, e gli edifici sembrano sorgere spontaneamente dalla natura, condividendo la medesima pietra giallastra delle rupi sottostanti.

On the Path of the Etruscans
Left: A view of Sorano, its residences tightly nestled together. Above: The Medieval town of Pitigliano. In the southernmost part of Tuscany, beyond Monte Amiata and almost over the border into Latium, in some ancient towns, it looks as though time has stopped. These places are often hard to access, as they are located far from major roads, but they are amazing and worth the trouble it takes to discover them. In this ancient landscape, dotted with woods and crumbling tuff-stone hills, small towns like Pitigliano, Sorano and Sovana sit atop crumbling and craggy rock faces. These are ancient dwelling places: The surrounding walls and even the houses themselves date back to the pre-Roman era, the time of the Etruscans, an autonomous and civilized people that established itself in central Italy between the 8th and 4th centuries B.C. Today, these towns still look Medieval, and the buildings seem to spring spontaneously from their natural surroundings. They were built using the yellowish stone of the surrounding cliffs.

Umbria - Umbria

Il cielo e la terra: la regione dei Santi
Heaven and earth: a region of saints

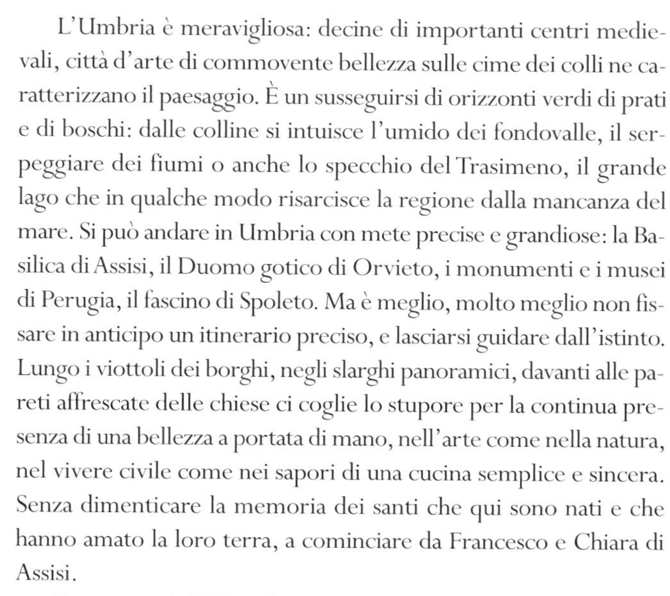

L'Umbria è meravigliosa: decine di importanti centri medievali, città d'arte di commovente bellezza sulle cime dei colli ne caratterizzano il paesaggio. È un susseguirsi di orizzonti verdi di prati e di boschi: dalle colline si intuisce l'umido dei fondovalle, il serpeggiare dei fiumi o anche lo specchio del Trasimeno, il grande lago che in qualche modo risarcisce la regione dalla mancanza del mare. Si può andare in Umbria con mete precise e grandiose: la Basilica di Assisi, il Duomo gotico di Orvieto, i monumenti e i musei di Perugia, il fascino di Spoleto. Ma è meglio, molto meglio non fissare in anticipo un itinerario preciso, e lasciarsi guidare dall'istinto. Lungo i viottoli dei borghi, negli slarghi panoramici, davanti alle pareti affrescate delle chiese ci coglie lo stupore per la continua presenza di una bellezza a portata di mano, nell'arte come nella natura, nel vivere civile come nei sapori di una cucina semplice e sincera. Senza dimenticare la memoria dei santi che qui sono nati e che hanno amato la loro terra, a cominciare da Francesco e Chiara di Assisi.

Diverse città dell'Umbria (come Todi, Orvieto, Perugia) propongono ai visitatori itinerari sotterranei, alla scoperta di ipogei etruschi e romani: ci si immerge nel sottosuolo per scoprire le tracce, spesso imponenti, della antiche civiltà sui cui resti sono sorti i centri storici medievali. Dalle oscurità del sottosuolo si emerge nelle piazze luminose e nelle tortuose vie selciate di impronta romanica e gotica. Cimabue, Giotto, Simone Martini, i Lorenzetti: nel giro di due generazioni, a cavallo tra Due e Trecento, ad Assisi la storia della pittura occidentale ha conosciuto una evoluzione radicale, passando dall'eredità bizantina a un ritrovato senso "classico" della figura nello spazio, della narrazione, della realtà. L'Umbria è una delle più preziose culle dell'arte italiana, non solo per la presenza dell'impareggiabile cantiere di Assisi o di altri monumenti supremi, ma soprattutto per la nascita e lo sviluppo di una "civiltà figurativa" che si è diffusa in tutta la regione, toccando anche i centri più piccoli, con un carattere "regionale" ben riconoscibile e sostanzialmente autonomo rispetto ad altre scuole. Di più: questo tessuto disteso sul territorio è arricchito localmente da presenze salienti, da opere insigni, da committenti esigenti e da rilevanti personalità di artisti, cui si aggiungono gli arrivi, talvolta prestigiosissimi, di maestri e di capolavori da altre regioni.

Insomma, nel periodo del suo massimo sviluppo, la scuola umbra riassume e accoglie in modo quintessenziale le caratteristiche della grande arte italiana, vale a dire il continuo dialogo tra i centri di produzione principali e la periferia. Il "fenomeno Umbria" raggiunge l'apice durante il XV secolo, al termine del quale, anzi, la "lingua" pittorica umbra si diffonde praticamente in tutta Italia. Lungo tutto il Quattrocento, dagli esordi tardogotici fino al Collegio del Cambio affrescato da Perugino, la pittura umbra segue un crescendo entusiasmante, e se ne può percorrere agevolmente l'itinerario cronologico e stilistico seguendo un percorso che tocca molti dei centri storici principali della regione. Certo, dal XVI secolo in avanti l'Umbria pare scivolare fuori dalla Storia. A parte qualche momento del tutto particolare (gli appassionati di arte contemporanea non possono dimenticare la presenza delle opere di Alberto Burri a Città di Castello), la regione di pietra e di boschi resta fissata nella sua meraviglia, intatta, nei secoli.

Put plainly, Umbria is wonderful. It contains dozens of significant Medieval towns and incredibly beautiful *città d'arte* perched atop the hills that characterize the region. And Umbria has a never-ending supply of fields and woods. From high in the hills you see the mist in the valley below, the winding rivers and sparkling Trasimeno, the large lake that partially makes up for the fact that this landlocked region has no beaches. You can visit Umbria with specific and major sites in mind: the basilica in Assisi, Orvieto's Gothic cathedral, Perugia's monuments and museums and charming Spoleto. But an even better plan is no plan at all—try not to set a specific itinerary and let yourself be guided by instinct. As you wander the lanes of small towns, take in wide open landscapes and stand before the fresco-covered walls of churches, you'll be struck by how much beauty surrounds you, in art and in nature. You'll also be struck by the civilized lifestyle in Umbria, especially the flavors of its simple and genuine cuisine. And you'll recall the saints who were born here and loved this land, beginning with Francis and Clare of Assisi.

Various cities in Umbria (including Todi, Orvieto and Perugia) offer visitors a chance to go underground and explore Etruscan and Roman tombs. You can go down to discover the remnants of the ancient civilizations upon which the Medieval towns were built. From the underground dark, you'll emerge into brightly sunny piazzas and winding paved streets with Romanesque and Gothic flavor. Cimabue, Giotto, Simone Martini, the Lorenzetti brothers: in just two generations from the 13th to 14th centuries, Western painting took a radical turn in Assisi, veering from the Byzantine tradition to a new tradition that relied on the "classical" sense of the figure in space, as well as narrative and realism. Umbria is one of the cradles of Italian art, because Assisi was unequalled as a workplace for great artists, and more importantly because a figurative tradition was born and developed here. That tradition then spread throughout the region, even to its small towns, and maintained a regional character that is recognizable and makes it separate from other schools. All over the region, this tradition was nourished by key local practitioners. Their signature works and personalities, as well as the large-scale commissions available, drew the most prestigious masters and their works from other regions to Umbria.

At its peak, the Umbrian school integrated and expressed in a quintessential way one of the key characteristics of great Italian art, meaning the ongoing dialogue between large cities and outlying areas. This "Umbrian phenomenon" reached its peak during the 15th century, so that by the end of that period the local painting "lingo" was no longer strictly Umbrian, but instead was used everywhere in Italy. Throughout the 1400s, from the late Gothic period to the Collegio del Cambio fresco by Perugino, Umbrian painting continued to grow. Indeed, you can easily follow a kind of Umbrian chronological and stylistic itinerary by traveling to the major historic centers in the region. Then, from the 16th century forward, Umbria lost its starring role in history. Aside from a few moments when Umbria's art has briefly came to the forefront again (contemporary art lovers will point to the works of Alberto Burri in Città di Castello), this region of stone and woods has remained frozen in its glory days for centuries.

A fianco: La facciata del Duomo di Orvieto, autentico capolavoro del gotico italiano, è un insieme equilibrato di architettura e decorazione, dove le linee geometriche della struttura si fondono con l'eccentricità della policromia musiva. Il rosone trecentesco, opera di Andrea Orcagna, è inquadrato da una cornice ed è composto da un doppio giro di colonnine con archetti intrecciati che racchiudono al centro la testa del Salvatore.

Opposite: The facade of Orvieto's cathedral, a true Italian Gothic masterpiece, has beautifully balanced architecture and decoration. The building's geometric stripes match the eccentricity of its multi-colored mosaics. The 14th-century rose window by Andrea Orcagna is set in a frame and consists of two concentric circles of columns with small arches distributed among them and the head of Jesus in the center.

PERUGIA
Fondata dagli Etruschi, Perugia occupa una dorsale collinare: al culmine si apre la grande piazza su cui prospettano il fianco del Duomo, la stupenda Fontana Maggiore a duplice vasca (opera di Nicola e Giovanni Pisano) e il poderoso Palazzo dei Priori, uno dei più grandi edifici pubblici dell'Italia comunale, eretto a partire dal 1293. La sua massa severa, tutta chiusa nella veste di pietra squadrata e appena ingentilita dai due ordini di bellissime trifore gotiche che si prolungano in serrata fuga sul lato più lungo, s'immette nella piazza come un enorme bastione.

PERUGIA
Founded by the Etruscans, Perugia runs along the ridge of a hill. At the top is the grand piazza surrounded by the Cathedral, the Main Fountain with its double basins (by Nicola and Giovanni Pisano) and the imposing Palazzo dei Priori, one of Italy's most grand public buildings of the commune era. Construction on the latter began in 1293. This massive block of a building, covered in squares of stone and slightly softened by the two rows of beautiful Gothic three-mullioned windows that are grouped in series along the building's long side, stands over the piazza like a rampart.

Sopra: Assisi, San Francesco
Assisi, la città di san Francesco, unisce un'atmosfera sacra e una maestosa monumentalità. Il piccolo centro umbro, proprio per celebrare il santo patrono d'Italia, è stato abbellito di eccezionali architetture religiose e civili che racchiudono come scrigni incredibili capolavori artistici. La grande Basilica di San Francesco, composta di due chiese sovrapposte, domina con la sua struttura la città da una posizione defilata, ma proprio per questo originale e di grande impatto paesaggistico. La maestosità del convento, che emerge sopra poderose sostruzioni ad arcate, trasgredisce il rigore francescano che prevedeva costruzioni povere e semplici. Alla geniale struttura gotica duecentesca delle basiliche si è sovrapposta la straordinaria decorazione pittorica, che alle soglie del Trecento apre una fase di rinnovata sensibilità, grazie agli splendidi cicli affrescati di Giotto, Cimabue, Simone Martini e Pietro Lorenzetti.
A fianco: Assisi, il Duomo di San Rufino
Oltre alla basilica di San Francesco, Assisi presenta numerosi importanti edifici medievali: la facciata della chiesa di San Rufino (il Duomo cittadino) presenta un rosone romanico a tre cerchi concentrici, sorretto da tre telamoni e contornato dai simboli dei quattro evangelisti.

Above: Basilica of San Francesco in Assisi
Assisi, the city of Saint Francis (San Francesco in Italian), offers a holy atmosphere and impressive buildings. To pay homage to the patron saint of Italy, the small center of this town in Umbria was outfitted with exceptional works of religious and public architecture. Each is a jewel box that contains incredible works of art. The Basilica of San Francesco consists of two connected churches. The basilica is set back from the city center, making it even more unique and of greater impact. The friary, which stands atop mighty arcaded constructions, is majestic. This quality is in direct contrast to Franciscan dictates that call for poor and simple buildings. The pleasing 13th-century Gothic basilicas are notable largely for their extraordinary paintings. At the turn of the 14th century, the splendid fresco cycles by Giotto, Cimabue, Simone Martini and Pietro Lorenzetti helped usher in a new phase of higher consciousness.
Opposite: the Cathedral of Assisi
Assisi has many other important Medieval buildings in addition to the Basilica of San Francesco. One, the Church of Saint Rufinus (the city's main cathedral) has a Romanesque rose window with three concentric circles supported by three telamons and encircled by symbols of the four evangelists.

Spoleto
La particolarità della cittadina di Spoleto risiede nella perfetta compenetrazione di costruzioni monumentali all'interno di un rigoglioso paesaggio naturale che ne fa una cornice del tutto unica. La ricca presenza di splendidi edifici pubblici, teatri e palazzi è dovuta al particolare passato di questo paese umbro che è stato prima capitale dell'omonimo Ducato in epoca longobarba e poi "Caput Umbriae", capitale dell'Umbria fino al XIX secolo. Spoleto è una città molto affascinante che attrae i visitori non solo grazie al suo aspetto accogliente e maestoso, ma anche grazie a importanti iniziative culturali come il Festival dei Due Mondi, una manifestazione internazionale che ospita spettacoli delle varie forme di arte provenienti da Europa e America. Tra le attrattive della città i resti romani – come l'Arco di Druso e il gigantesco Ponte delle Torri, antico acquedotto che si erge sopra un orrido mozzafiato – e l'architettura religiosa – come Sant'Eufemia, capolavoro del Romanico spoletino e il duomo con in facciata il grande rosone e un mosaico bizantineggiante. Sulla sommità del colle emerge la rocca trecentesca, che nel XIX secolo fu destinata a carcere dello Stato Pontificio e che oggi ospita il Museo Nazionale di Spoleto.

Spoleto
Spoleto is special because of the way its buildings are perfectly integrated into verdant natural surroundings that frame it in spectacular fashion. The city has wonderful public buildings, theaters and palaces because of its past as the first capital of a duchy of the same name in the Lombard era. It then was Caput Umbriae, the Umbrian capital, until the 19th century. Spoleto is a charming city that attracts visitors not only because of its beauty, but also due to important cultural initiatives, such as the Festival of the Two Worlds, an international festival with performing artists from Europe and the Americas. The city's attractions include Roman ruins—the Arch of Drusus and the enormous Bridge of Towers, an ancient aqueduct that crosses a terrifyingly steep drop—and its religious architecture—including the church of Saint Euphemia, a Romanesque masterpiece, and the cathedral with a large rose window and Byzantine-style mosaics. At the top of the hill is the 14th-century fort that in the 19th century became a Papal prison and today houses the National Museum of Spoleto.

Marche - Marche

Di valle in valle: le bellezze di una regione al plurale
A "plural" region full of beautiful valleys

A fianco: La cittadina di Loreto si erge su un colle ed è circondata in parte da poderose mura e bastioni cinquecenteschi. Domina sul panorama il Santuario della Santa Casa, uno dei più importanti d'Italia, che ha reso Loreto meta costante di pellegrinaggio religioso ma anche di turismo interessato alle bellezze artistiche e architettoniche della città. Nel santuario si conservano le mura della casa di Nazareth dove la Vergine ricevette l'annuncio dell'arcangelo Gabriele. Secondo la tradizione furono trasportate a Loreto da alcuni angeli, ma la realtà storica afferma invece che questa preziosa reliquia sia stata portata in Italia dai Crociati tornati dalla Terra Santa.

Opposite: The town of Loreto is located on a hill and is surrounded by massive walls and 16th-century fortifications. One of the standouts in the town is the sanctuary of Santa Casa, one of the best known in Italy, which has made Loreto a destination not only for religious pilgrims, but also for tourists interested in the city's artistic and architectural treasures. The sanctuary contains the walls of the house in Nazareth where the Virgin received the Annunciation from Archangel Gabriel. According to tradition, these were transported to Loreto by angels, but history tells a slightly different story: that these precious relics were brought to Italy by Crusaders returning from the Holy Land.

Per molte ragioni, storiche, geografiche, amministrative, nonostante la relativa esiguità, la regione ha ereditato un nome al plurale, e la varietà del paesaggio e del territorio giustifica l'affascinante compresenza di diverse anime e realtà. Ogni città delle Marche ha una sua caratteristica peculiare, una storia da raccontare: storie antiche, che continuano a vivere davanti a noi, tra le vecchie pietre e le tegole, tra i mille tesori d'arte che la regione sa custodire e valorizzare: ben 208 comuni marchigiani, su un totale di 258, posseggono uno o più musei d'arte, e sono in attività 78 storici teatri.

Le valli parallele dei brevi fiumi marchigiani che scendono dall'Appennino verso l'Adriatico sono accompagnate da cittadine arroccate sulle colline; sui valichi vigilano rocche e castelli, mentre lungo le spiagge piatte, interrotte dal brusco promontorio del Cònero, si susseguono i porti. Tutto è avvolto da una natura bellissima, un orizzonte verde concluso in fondo dalla lontana barriera azzurra dei Monti Sibillini. L'ingresso più abituale è dalla Romagna, attraverso i bastioni naturali e i castelli arcigni del Montefeltro. Salendo verso l'interno, Urbino si annuncia da lontano: sul compatto orizzonte della cittadina di mattoni antichi spuntano le appuntite cuspidi dei torricini gemelli, le logge dell'appartamento ducale, le stupende finestre di marmo del Palazzo Ducale. A metà del Quattrocento Federico da Montefeltro, signore di uno stato piccolissimo ma strategico, chiamò presso la sua corte fra le colline artisti e letterati di mezza Europa, sotto la vigile tutela di Piero della Francesca. Dalle finestre del palazzo si vede la valle del Metauro, dove, nel Rinascimento, si producevano le ceramiche più belle del mondo, e lo sguardo spazia fino in cima al passo di Bocca Trabaria, tutto un susseguirsi di boschi di querce, di sorgenti, di silenzi. Le altre strade dell'Appennino passano tra grotte, chiuse, eremi, fonti, spettacoli naturali come il mondo sotterraneo delle grotte di Frasassi e chiese romaniche grezze e nobili insieme.

L'altra faccia delle Marche settentrionali sono le città costiere, distese sulle sabbie dei litorali. Su Ancona, alta e bianca come un faro, la larga facciata della basilica romanica di San Ciriaco, di pietra chiara e levigata, domina sul precipitare caotico della città e sui rumori del porto.

Di nuovo si rientra nelle valli, seguendo i solchi dei fiumi e le seduzioni della storia: per arrivare a Recanati, legata al ricordo poetico di Giacomo Leopardi, si deve girare attorno la poderosa abside del santuario di Loreto, turrito e merlato come una fortezza che avvolge la famosa casetta di Nazareth. Tra Recanati, Jesi e Cingoli si rincorrono i capolavori di Lorenzo Lotto; Macerata ha un signorile cuore di mattoni, e l'imprevedibile stadio neoclassico dello Sferisterio, concepito per ospitare gli incontri dello sport più popolare della regione, la palla al bracciale. Il mare si allontana: in fondo alla valle del Chienti affiorano le masse rosso-cupe di chiese bellissime, come l'abbazia di Chiaravalle di Fiastra. Oltre il castello della Rancia, dalla sacra Tolentino si spalanca lo scenario dei monti, e delle città che si arrampicano sulle groppe. La piazza ovale di San Severino risuona delle voci millenarie del mercato, a San Ginesio l'ospedale quattrocentesco accoglie i visitatori, a Camerino, le tracce della storia commemorano un'università appartata e severa. Meta finale dei tortuosi meandri che costeggiano i Monti Sibillini è il centro storico di Ascoli, tutto di pietre grigio-scure, passato quasi intatto attraverso i secoli. Ultima, splendida conferma della varietà di una regione "al plurale".

This region was given a name in the plural form (*marche* means "marches") for many historical, geographic and administrative reasons. While that is unusual, the region's extraordinarily varied setting seems to justify it—the Marche region is home to very varied sites and there is a different atmosphere in every corner. Each city in the Marche has its own special character and a story to tell. These are stories of ancient history that continues to live in our time, through ancient stones and tiles, through thousands of artworks that this region protects and promotes particularly well. There are 258 municipalities in the Marche, and 208 of them have one or more art museums, while 78 of them have historic theaters that are still active.

In the Marche, short rivers run parallel down the Apennines toward the Adriatic. The river valleys are lined with small hill towns built on rock, and mountain passes are dotted with forts and castles, while the region's long flat beaches and its string of ports are interrupted by the jutting Cònero point. All of this is set against a stunning natural backdrop, a green stretch that is marked off by the faraway blue strip of the Sibillini mountains. Most people enter the Marche region from Romagna, passing through the natural ramparts and imposing castles in the Montefeltro area. As you move toward the interior, Urbino grows visible in the distance. The twin pointed towers of the city's ducal palace rise above its ancient brick buildings. As you approach, the loggia of the ducal apartments and the beautiful marble windows come into sight as well. In the mid-1400s, Federico da Montefeltro ruled over this small but strategically important state. He summoned artists and literary figures from all over Europe to his court in the hills, where they worked under the watchful eye of Piero della Francesca. The palace windows offer a view of the Metauro River valley, where the world's most beautiful ceramics were produced during the Renaissance. The view encompasses the Bocca Trabaria, oak forests and streams—a pleasantly peaceful land. The other Apennine roads pass by grottoes, dams, retreats, springs and natural sites, such as the underground world of the Frasassi caves. There are both rough-hewn and refined Romanesque churches in the area.

The other side of the northern Marche is comprised of the coastal cities located between sandy beaches and coastline. The large white façade of the Romanesque Basilica of San Ciriaco looms over Ancona. The church is made of light-colored polished stone and its peaceful stature contrasts with the chaotic city and its bustling port.

The region's valleys are populated with flowing rivers and fascinating history. To reach Recanati, birthplace of poet Giacomo Leopardi, you have to go around the large apse of the sanctuary of Loreto, which surrounds the famous house of Nazareth like a fortress with turrets and embattlements. In Recanati, Jesi and Cingoli there are works by Lorenzo Lotto; Macerata has a stately heart of brick and the unusual neoclassical stadium known as the Sferisterio, designed for games of the region's own native sport, *palla al bracciale,* literally "bracelet ball." This area is far from the sea. At the base of the Valley of Chienti there are beautiful churches with deep red domes, such as the abbey in Chiaravalle di Fiastra. Beyond the castle in Rancia, from the town of Tolentino the mountains open up their vistas, and cities cling to the mountainsides. The oval piazza in San Severino has been the site of a market for millennia; in San Ginesio, visitors can see the 15th-century hospital; in Camerino, traces of its severe and isolated university persist. Finally, the twists and turns of the Sibillini mountains lead to the historic center of Ascoli, made completely of dark gray stone. It has remained intact for centuries and is yet another piece of evidence of the variety in this "plural" region.

Ancona, la cattedrale di San Ciriaco
La città di Ancona ha una struttura del tutto particolare: un nucleo storico serrato, stretto e allungato, intorno al ben riparato porto, e una vasta e ariosa parte moderna, che raggiunge il lungomare del Passetto e le spiagge assolate sull'Adriatico. Isolata sull'alto del colle Guasco, domina su tutto la splendida cattedrale romanica dedicata a san Ciriaco, un singolare capolavoro dell'architettura romanica. La sua monumentale struttura architettonica è il risultato della sovrapposizione di più fasi costruttive, che hanno portato alla trasformazione del primitivo edificio a pianta basilicale in una costruzione con pianta a croce greca, mediante l'aggiunta del corpo di fabbrica longitudinale.

Ancona: Cathedral of Saint Cyriacus
The city of Ancona has a unique layout: a closed historic center, narrow and long, exists alongside its sheltered port, and then there is a large, airy modern section of the city that runs all the way out to the promenade along the water and the sunny Adriatic beaches. Isolated at the top of the Guasco hill, the splendid Romanesque cathedral dedicated to Saint Cyriacus of Ancona overlooks the entire city. This cathedral is a masterpiece of Romanesque architecture. The gigantic structure is the result of several different phases of construction. An earlier building with a traditional basilica plan was transformed into the current design on a Greek cross plan with the addition of a longitudinal section.

La rocca di Gradara

Nella parte settentrionale delle Marche sono numerosi i castelli, le rocche, le fortezze, i borghi murati: segno dell'importanza dei passaggi e dei valichi attraverso l'Appennino e lungo la costa adriatica. Particolarmente suggestivo è il centro di Gradara, quasi al confine con la Romagna. La cittadina appare tuttora interamente circondata dalle mura merlate, che si saldano alla rocca, nella parte alta dell'abitato. Il castello è meta continua di visitatori, in cerca di suggestioni letterarie e anche amorose: fu infatti lo scenario della drammatica vicenda di Paolo e Francesca, narrata da Dante.

Castle of Gradara

The northern area of the Marche region hosts numerous castles, forts, fortresses and walled cities, evidence of how heavily traveled its passages and routes through the Apennines and along the Adriatic coast once were. The center of Gradara, which is close to the Romagna border, is particularly evocative. This small town looks as if it is still completely surrounded by battlemented walls that are attached to the castle in the upper area. The castle receives many visitors interested in literary history and amorous pursuits: Dante's dramatic story of Paolo and Francesca is set here.

Sopra: La chiesa di San Claudio al Chienti
La particolarità del paesaggio marchigiano, con profonde vallate di fiumi che scendono dall'Appennino verso l'Adriatico, si presta particolarmente alla meditazione e alla contemplazione. Molti sono i conventi e le abbazie, spesso risalenti al Medioevo. Non lontano da Macerata sorge la notevole chiesa romanica di San Claudio al Chienti, composta da due ambienti sovrapposti e affiancata da due campanili cilindrici gemelli.
A fianco: Macerata
Colta, riservata e raffinata, Macerata non vanta monumenti particolarmente significativi, ma propone un centro storico molto omogeneo, reso gradevole dal tono caldo del mattone che accomuna edifici pubblici, chiese e case. Nell'immagine, l'infilata della chiesa di San Paolo (il cui convento ospita oggi l'università) e, in secondo piano, il Duomo.

Above: Church of San Claudio al Chienti
The countryside of the Marche, full of deep valleys that contain rivers that flow down the Apennines toward the Adriatic, is particularly well suited to meditation and contemplation. There are many monasteries and abbeys in the region, several dating back to the Middle Ages. Not far from Macerata is the Romanesque Church of San Claudio al Chienti, which is really two buildings, one built on top of the other, flanked by two identical cylindrical bell towers.
Opposite: Macerata
Cultured, reserved and refined, Macerata does not have any particularly significant buildings, but it does offer a harmonious historic center. Brick in warm colors was used for the public buildings, churches and residences. This photograph shows the enfilade of the Church of Saint Paul (the church's one-time convent now houses the university) and behind it the city's cathedral.

Urbino

Tra i più importanti centri artistici dell'Italia centrale, Urbino è un gioiello del Rinascimento. La trasformazione da piccolo paese a capitale di uno stato si deve a Federico da Montefeltro che grazie alle sue grandi capacità guerresche e di stratega diventa nel 1474 duca di Urbino. Politico e uomo d'armi, Federico è anche un principe umanista interessato ai vari aspetti della cultura e coinvolto personalmente in una ricostruzione della città volta a renderla degna di un grande signore. Per far questo si circonda di artisti e architetti come Piero della Francesca e Luciano Laurana. A quest'ultimo si deve la progettazione dell'imponente Palazzo Ducale, affiancato al Duomo. L'architetto riuscì genialmente a raccordare due precedenti edifici da un lato tramite una facciata ad ali, dall'altro con la costruzione della cosiddetta "facciata dei torricini", obliqua rispetto al palazzo: le due torri che terminano con eleganti cuspidi a ricordo dei castelli medievali, affermano con serena sicurezza la potenza militare e la cultura raffinata dei Montefeltro dominando il panorama della città verso la Toscana.

Urbino

Among the most important sites for art in central Italy, Urbino is a Renaissance jewel. What is today a small town was once the capital of a state built by Federico da Montefeltro, who earned his fortune with his expertise in war and strategy. In 1474, the duchy of Urbino was established. A politician and a warrior, Federico was a humanist prince with an interest in all aspects of culture. He was personally involved in the construction of the city, and he clearly intended to make it a locale worthy of a grand nobleman. He surrounded himself with artists and architects like Piero della Francesca and Luciano Laurana. The latter designed the town's impressive Ducal Palace, which stands next to the cathedral. This architect cleverly managed to link two existing buildings on one side with a winged facade, while the other facade with its famous two towers sits at an angle to the main body of the palace. The two towers end in elegant tips that echo those of Medieval castles. The palace seems to calmly assert the Montefeltro family's military power and refined culture as it dominates the side of the city that faces Tuscany.

Abruzzo e Molise - Abruzzo and Molise

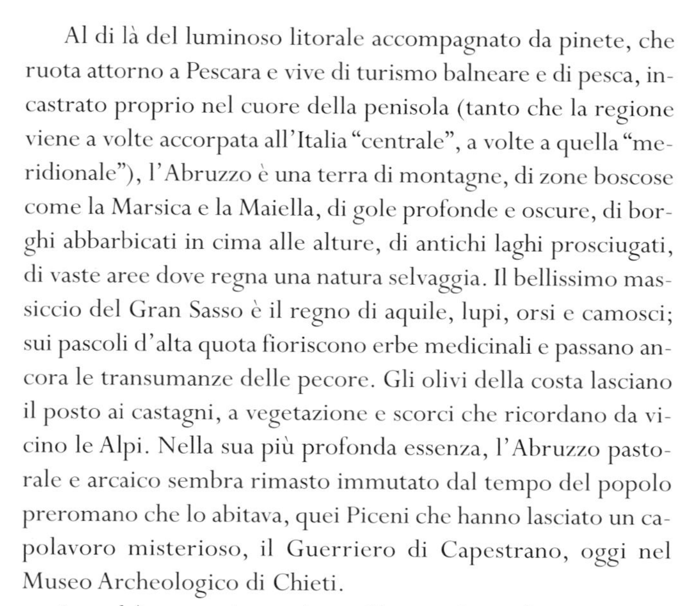

Forte come una roccia, gentile come un fiore
Strong as a rock, yet delicate as a flower

Al di là del luminoso litorale accompagnato da pinete, che ruota attorno a Pescara e vive di turismo balneare e di pesca, incastrato proprio nel cuore della penisola (tanto che la regione viene a volte accorpata all'Italia "centrale", a volte a quella "meridionale"), l'Abruzzo è una terra di montagne, di zone boscose come la Marsica e la Maiella, di gole profonde e oscure, di borghi abbarbicati in cima alle alture, di antichi laghi prosciugati, di vaste aree dove regna una natura selvaggia. Il bellissimo massiccio del Gran Sasso è il regno di aquile, lupi, orsi e camosci; sui pascoli d'alta quota fioriscono erbe medicinali e passano ancora le transumanze delle pecore. Gli olivi della costa lasciano il posto ai castagni, a vegetazione e scorci che ricordano da vicino le Alpi. Nella sua più profonda essenza, l'Abruzzo pastorale e arcaico sembra rimasto immutato dal tempo del popolo preromano che lo abitava, quei Piceni che hanno lasciato un capolavoro misterioso, il Guerriero di Capestrano, oggi nel Museo Archeologico di Chieti.

In realtà, questa immagine millenaria di un Abruzzo arroccato nel proprio passato è solo parziale: una tragedia recente, il terremoto che ha devastato L'Aquila e dintorni il 6 aprile 2009, ha mostrato in modo drammatico ed eloquente come nel capoluogo ai piedi delle montagne fosse stato possibile coniugare un centro storico monumentale di grande ma purtroppo fragile bellezza (ancora oggi in parte inaccessibile) con il dinamismo di una città giovane, con una università di alto livello, capace di richiamare studenti di diverse nazionalità. La splendida chiesa di Santa Maria in Collemaggio deve essere vista come il punto di partenza per il restauro e il rilancio del patrimonio monumentale dell'Aquila, che merita di essere indicata come una meta turistica di notevole fascino.

Nella fitta trama degli antichi borghi, l'Abruzzo conserva ampie testimonianze di un Medioevo lungo e ricco. Le abbazie, a cominciare dalla grandiosa San Clemente di Casauria, permettono di entrare in contatto con un'architettura romanica insolitamente luminosa, grazie alla chiara pietra locale e al respiro monumentale degli edifici. Un'attenzione particolare va riservata agli arredi scolpiti, e in particolare ai pulpiti romanici, rivestiti di sculture di travolgente efficacia comunicativa, scolpiti nel XII secolo da Maestro Nicodemo. Firmati e datati tra il 1150 e il 1166, gli amboni di Nicodemo si trovano a Santa Maria in Val Porclaneta, nei pressi di Rosciolo, a Santa Maria del Lago presso Moscufo e a Santo Stefano a Cugnoli. Nicodemo modella lo stucco con una grande varietà di riferimenti stilistici: severità normanne, delicatezze arabe, elementi ornamentali tratti dalle miniature imperiali, profumi d'incanti bizantini, sintesi longobarda, torciglioni degni della Roma papale.

Il piccolo Molise ripete, appena più a sud, analoghe caratteristiche: la costa balneare, i pascoli (può capitare di vedere un gregge passare attraverso le rovine romane di *Saepinum*), gli uliveti e le montagne, i ricordi di popoli remoti, fra cui il teatro di Pietrabbondante, le antiche tradizioni, le abbazie millenarie. Impressionante è San Vincenzo al Volturno, oggi un campo di rovine, in cui restano, sottoterra, i preziosissimi affreschi della cripta.

Abruzzo, a region with a sunny shoreline and acres of pine woods, revolves around the city of Pescara, and most of its residents make a living from tourism and fishing. This region is located right in the middle of mainland Italy (sometimes it is included in "central" Italy, and other times it is considered "southern" Italy). It is a land of mountains, wooded areas like the Marsica and the Maiella, deep, dark gorges, towns that cling to soaring hills, ancient lakes that have since dried up and vast areas of still untamed nature. The enormous Gran Sasso mountain is home to eagles, wolves, bears and chamois. The high-elevation prairies are filled with medicinal herbs; occasionally sheep still graze there. Olive groves along the coast give way to chestnut groves, vegetation and views in the other areas that really make parts of Abruzzo resemble the Alps. At its core, Abruzzo is still a pastoral land, and an old-fashioned one that seems unchanged since the days when it was populated by pre-Roman peoples, such as the Picenes, who left a mysterious work, the Warrior of Capestrano, today kept in the Archeological Museum in Chieti.

While at first glance you might think Abruzzo hasn't changed over time, that's not completely true, as this region was recently the site of an unfortunate tragedy: On April 6, 2009, an earthquake devastated the town of L'Aquila and the surrounding area, dramatically illustrating that the historic center of this town at the foot of the mountains might have been imposing, and it might have been a spirited, youthful place and home to a prestigious Italian university that attracted students from all over the world, but it was also a thing of fragile beauty. Today, part of the historic center remains closed. The beautiful Church of Santa Maria in Collemaggio was one of the first buildings to be restored and was a starting point for reviving the architectural legacy of L'Aquila, a town with plenty to offer tourists.

The ancient towns of Abruzzo offer ample evidence of a long and rich Medieval era in the area. The abbeys of the region, beginning with the elegant Abbey of San Clemente di Casauria, are examples of unusually luminous Romanesque architecture thanks to their use of local light-colored stone and the solid feel of the buildings. The sculpted interiors are particularly notable, especially the Romanesque pulpits decorated with the uniquely expressive sculptures created by master Nicodemo in the 12th century. Signed and dated from 1150 to 1166, Nicodemo's ambos can be seen at Santa Maria in Val Porclaneta, near Rosciolo, at Santa Maria del Lago in Moscufo and at Santo Stefano in Cugnoli. Nicodemo worked in stucco and relied on a range of different styles: Norman severity, Arab delicacy, ornamental elements drawn from imperial miniatures, a hint of Byzantine charm, Lombard pithiness and twisted columns fit for Rome in the papal era.

Molise, the small region to the south, echoes many of Abruzzo's themes: the coastline, the pastures (flocks of sheep are occasionally seen grazing in the Roman ruins in Saepinum), olive groves and mountains, the remains of long-ago peoples, including the Pietrabbondante theater, ancient traditions and abbeys that are thousands of years old. San Vincenzo al Volturno deserves special mention. Today it is a site with many ruins, including frescoes in an underground crypt.

A fianco: Nel cuore d'Italia, a poca distanza dalle scintillanti coste dell'Adriatico, il massiccio del Gran Sasso propone un inaspettato scenario, dall'aspetto quasi alpino: la vetta più alta si spinge a 2912 metri di altitudine, e accoglie l'unico ghiacciaio perenne degli Appennini.

Opposite: In the heart of Italy, a short distance from the sparkling Adriatic coast, the massive Gran Sasso looks a little out of place—it could pass for one of the Alps. The highest peak reaches 2,912 meters in height and boasts the only perennial glacier in the Apennines.

Bucchianico
A breve distanza da Chieti, la cittadina di Bucchianico occupa un'altura panoramica, davanti al grande massiccio montuoso della Maiella.

Bucchianico
Near Chieti, the town of Bucchianico sits on a hill before the large Mount Maiella.

Sopra: Opi
Tutto l'Abruzzo è un continuo susseguirsi di paesaggi solenni, di alte montagne, di gole ombrose, di antichissimi ricordi storici. La cittadina di Opi si trova nel cuore della Marsica, la zona anticamente abitata dalla popolazione dei Marsi, sotto montagne che superano i duemila metri e in cui sono da qualche anno tornati gli orsi.
A fianco: paesaggio tra Abruzzo e Molise
Tra l'Abruzzo e il Molise il paesaggio tende ad addolcirsi: le catene montuose lasciano il posto a colline più morbide e a vaste coltivazioni.

Above: Opi
Abruzzo is a land of serene landscapes, tall mountains, shadowy gorges and far-reaching history. The town of Opi is located in the heart of Marsica, an area populated in ancient times by the Marsi people, and beneath mountains more than 2,000 meters high. In recent years, the mountains have begun to be repopulated with bears.
Opposite: Landscape Between Abruzzo and Molise
The landscape between Abruzzo and Molise grows less harsh: Mountain chains give way to soft, rolling hills, many of them planted with crops.

LIMOSANO
Non lontano dal capoluogo molisano Campobasso, in un ampio scenario di ondulate alture boscose, il borgo di Limosano conserva un nucleo medievale arroccato sulle pendici di una collina, con tre chiese gotiche e numerosi edifici antichi.

LIMOSANO
Not far from Campobasso, the capital of the Molise region, among softly undulating wooded hills, the town of Limosano's Medieval center sits in a protected position on the slopes of a hill with three Gothic churches and many other ancient buildings.

IN·HONOREM·PRINCIPIS·APOST·PAVLVS·V·BVRG
SIVS·ROMANVS·PONT·MAX·AN·MDCXII·PONT·VII

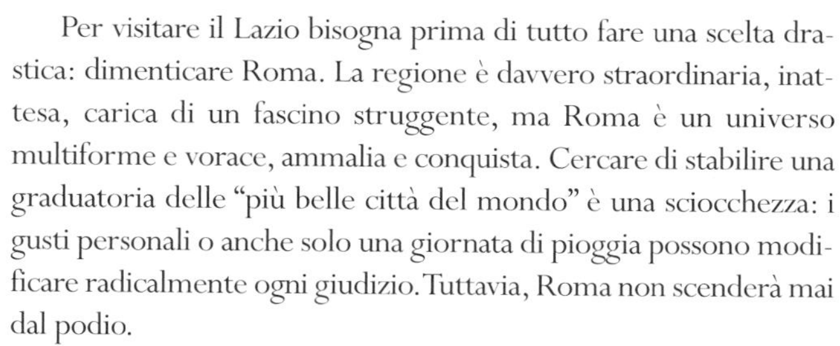

Roma e il Lazio - Rome and Latium

I grandi silenzi intorno alla città eterna
Great silence around the Eternal City

Per visitare il Lazio bisogna prima di tutto fare una scelta drastica: dimenticare Roma. La regione è davvero straordinaria, inattesa, carica di un fascino struggente, ma Roma è un universo multiforme e vorace, ammalia e conquista. Cercare di stabilire una graduatoria delle "più belle città del mondo" è una sciocchezza: i gusti personali o anche solo una giornata di pioggia possono modificare radicalmente ogni giudizio. Tuttavia, Roma non scenderà mai dal podio.

Ma fingiamo che Roma non esista, e che tutte le strade conducano... a uno spazio vuoto sulla cartina della geografia e della storia. Scopriremo così una regione inaspettata, la cui dimensione forse più caratteristica è il silenzio. Una sensazione paradossale, se si pensa all'animazione brulicante della capitale. I silenzi più profondi sono quelli delle necropoli etrusche, tutte diverse una dall'altra. A Cerveteri la "città dei morti" è scolpita nel tufo: all'interno dei tumuli circolari ci si inoltra per corridoi e camere di interi appartamenti riservati ai defunti. A Tarquinia, invece, sulla campagna ventosa quasi nulla fa presagire, nel sottosuolo, le fantastiche stanze affrescate, con i giochi, le danze, i paesaggi. Intanto, ben protetta dalle mura e dal robustissimo Palazzo Vitelleschi, la città medievale sonnecchia poco lontano: nel museo scalpitano i cavalli alati di terracotta, e nelle vetrine si allinea una raccolta di ceramiche greche, rinvenute nelle tombe del luogo. A Norchia le tombe etrusche sono scavate nelle rupi, e i sarcofaghi sono allineati all'interno delle meravigliose chiese romaniche di Tuscania. Un altro silenzio, ma questa volta accompagnato dagli echi remoti di una malinconica poesia, avvolge Villa Adriana, il grandioso complesso architettonico voluto dall'imperatore Adriano. Sotto gli ombrelli verdi dei pini marittimi, le sue rovine offrono un'emozione intensa. Poco lontano a Tivoli, il silenzio è sostituito dall'allegria delle cascate dell'Aniene, e dagli zampilli delle fontane che ornano i giardini storici delle ville rinascimentali e barocche. Ritroviamo il silenzio, profondissimo, nell'incredibile borgo medievale di Civita di Bagnoregio, circondato dal paesaggio desertico dei calanchi di tufo. E ancora silenzio, ma altissimo e mistico, nelle tante abbazie. Anzi, il concetto stesso di monachesimo occidentale è nato in Lazio, grazie all'attività di san Benedetto, tra Montecassino (vittima illustre dei terribili bombardamenti nella Seconda Guerra Mondiale) e Subiaco, dove l'eremo del Sacro Speco è aggrappato alle pareti della montagna. Ancora abbazie: i bianchi sai dei cistercensi negli spazi immensi di Fossanova e Casamari, le lunghe barbe dei monaci orientali a Grottaferrata. Poi c'è il silenzio degli antichi vulcani spenti, trasformati in laghi di forma circolare: la pace che avvolge lo specchio di Bolsena, il verde intorno al lago di Bracciano, il lago di Vico, su cui vigila, immensa, la villa cinquecentesca dei Farnese a Caprarola, metà fortezza e metà palazzo, un luogo che fa capire il senso della bellezza coniugato con la volontà del potere. Alla stessa epoca, la seconda metà del Cinquecento, risale uno dei complessi di architettura, scultura e natura più stravaganti del Lazio: il Parco dei Mostri di Bomarzo, percorso iniziatico voluto da un principe.

Il Lazio si spinge a sud: oltre il Monte Circeo, oltre la fortificata Terracina, oltre Sperlonga, con la grotta ricolma di sculture ispirate all'Odissea, oltre l'imprendibile Gaeta, fino al fiume Garigliano, al confine con la Campania. All'estremità opposta della regione, quasi un cuneo tra Toscana e Umbria, l'antica Viterbo papale e medievale stupisce i visitatori con la sua bellezza riservata.

If you visit the region of Latium, you should make a drastic choice right off the bat: Forget about Rome. The entire region is truly extraordinary, surprising and strikingly beautiful, but Rome is a varied and voracious universe unto itself. It enchants and fascinates. Trying to determine the "best" cities in the world is silly: Personal taste and even a single day of rain can alter one's judgment. That said, Rome is always in the running.

But let's pretend Rome doesn't exist, and that all roads lead to... an empty space on the map and in history. Then we can turn to a surprising region, one whose most salient characteristic may be its silence. That's a paradox, given the lively atmosphere of the Italian capital. The deepest silence is found in Latium's Etruscan burial grounds, each one unique. The so-called "city of the dead" in Cerveteri is carved in the tuff-stone: The circular graves have hallways and rooms and form entire apartments for the dead. In Tarquinia, on the other hand, in the windy countryside, there is no hint of the rooms below ground with fantastic frescoes that depict games, dances and landscapes. Protected by city walls and by the solid Palazzo Vitelleschi, this Medieval city sits sleepily nearby. Its museum contains winged terra cotta horses, as well as a collection of Greek pottery recovered from the tombs. In Norchia, the Etruscan tombs were dug in the cliffs and in Tuscania sarcophaguses are located inside marvelous Romanesque churches. There is still more silence, this time mixed with the far-away echoes of melancholy poetry, around Hadrian's Villa, the imposing architectural complex commissioned by Emperor Hadrian. Under the green shade provided by maritime pines, its ruins are extremely suggestive. Nearby in Tivoli, you'll hear the rush of the Aniene River and the burbling of the fountains in the historic gardens of the Renaissance and Baroque villas. Deep silence reigns in the incredible Medieval town of Civita di Bagnoregio, surrounded by a deserted landscape of ravines and tuff-stone. More mystical silence cloaks the many abbeys. Indeed, the very concept of Western monasticism was born in Latium, thanks to the activity of Saint Benedict between Montecassino (victim of terrible bombing in World War II) and Subiaco, where the Holy Cave retreat clings to the slopes of the mountain. And there are yet more abbeys: The white tunics of the Cistercians in the wide open space of Fossanova and Casamari, the long beards of the followers of eastern monastic tradition in Grottaferrata. Then there's the silence of inactive volcanoes that have transformed into circular lakes, the peace around reflective Lake Bolsena, the green surrounding Bracciano Lake. Vico Lake is watched over by the gigantic 16th-century villa of the Farnese family in Caprarola, half fortress and half palace—a place that renders clearly the sense of beauty merged with a desire for power. One of Latium's richest architectural, sculptural and natural sites dates back to the same period, the second half of the 16th century: the Park of the Monsters in Bomarzo, commissioned by a prince.

Latium pushes southward, past Mount Circeo, past fortified Terracina, past Sperlonga with its grotto full of sculptures inspired by the *Odyssey*, beyond elusive Gaeta, to the Garigliano River at the border with Campania. At the opposite end of the region, near Tuscany and Umbria, ancient papal and Medieval Viterbo amazes visitors with its quiet beauty.

A fianco: La lunga via della Conciliazione, in asse con l'antico obelisco egiziano, inquadra la facciata della basilica di San Pietro, esaltandone le proporzioni. Iniziata da Bramante nel 1506, l'immensa basilica rinascimentale ha ricevuto da Michelangelo la grandiosa cupola, alta 137 metri. La facciata fu completata da Carlo Maderno all'inizio del XVII secolo.

Opposite: The Via della Conciliazione, built to line up with an ancient Egyptian obelisk, frames the facade of Saint Peter's Basilica, highlighting its size. This immense Renaissance basilica was begun by Bramante in 1506. Its dome, 137 meters high, was painted by Michelangelo. The facade was completed by Carlo Maderno in the early 17th century.

Roma
"Per visitare Roma non basta una vita". È un vecchio modo di dire dei viaggiatori, sgomenti davanti all'indescrivibile ricchezza della storia, dell'arte, della cultura della capitale italiana. Millenni di vicende, di personaggi, di capolavori, di monumenti, dalle imponenti rovine dell'Impero romano alle basiliche cristiane, dai sontuosi palazzi rinascimentali alle fantasiose fontane barocche, dai mosaici medievali al vertice assoluto della pittura italiana. E tutto, sempre, in un'atmosfera di grande emozione, mentre il Tevere sembra sonnecchiare sotto i ponti e la brezza del pomeriggio, il popolare "ponentino", sfiora le chiome dei pini a ombrello. Come si fa a scegliere? Forse non bisogna farlo, ma lasciarsi guidare dal caso e dalla fortuna, scoprire angoli inattesi, trovarsi improvvisamente di fronte a inaspettati capolavori. E capire dal vivo la ragione per cui Roma si è meritata il soprannome di "Città Eterna".
A fianco: Il Colosseo
L'anfiteatro Flavio, detto comunemente il Colosseo per la grande statua di Nerone alta trenta metri che ornava la piazza antistante, venne iniziato da Vespasiano nel 72 a.C. nel luogo dove sorgeva il lago artificiale della Domus Aurea, la sfarzosa residenza imperiale di Nerone. Nell'anno 80 sotto l'imperatore Tito avvenne la grande inaugurazione con festeggiamenti e spettacoli che durarono ininterrotti per ben cento giorni. L'anfiteatro, eterno simbolo della potenza dell'antica Roma, poteva contenere circa 50.000 spettatori, e anche oggi è uno dei monumenti italiani più visitati: oltre 2 milioni di turisti entrano ogni anno fra le antiche arcate, percorrono le gallerie, si affacciano sulle gradinate, rievocano gli antichi combattimenti dei gladiatori e il martirio dei primi cristiani.

Rome
"A lifetime is not enough to see Rome." Tourists daunted by the Italian capital's unbelievably rich history, art and culture have said that for years. Thousands of years' worth of events, personalities, artworks, architecture, from the ruins of the Roman Empire to the Christian basilicas, from elegant Renaissance palazzos to imaginative Baroque fountains, from Medieval mosaics to the Italy's most famous paintings. All of these and more exist in an evocative atmosphere, while the Tiber laps gently beneath the bridges and the afternoon breeze known as the *ponentino* rustles through the umbrella pines. How to choose? Perhaps the best idea is not to choose at all, but to let yourself be guided by coincidence and luck into discovering unexpected corners and stumbling upon less well-known masterpieces. And see for yourself why Rome truly deserves the nickname the Eternal City.
Opposite: Colosseum
The Flavian amphitheater, now widely known as the Colosseum due to the 30-meter tall statue of Nero that stood in the piazza outside, was begun under the emperor Vespasian in 72 A.D. on what was the site of the artificial lake of Domus Aurea, Nero's grandiose imperial residence. In the year 80, under the emperor Titus, the Colosseum was inaugurated with parties and performances that lasted for one hundred days. The amphitheater, the eternal symbol of the power of ancient Rome, could hold approximately 50,000 spectators. Today, it is one of Italy's most visited sites: More than 2 million tourists enter through the ancient arches each year, walk the hallways, look out from the seats and recall the history of ancient gladiator combat and the martyrdom of early Christians.

PIVS·IX·PONT·MAX

S·PETRI GLORIAE SIXTVS·PP·V·A·M·D·XC·PONTIF·V

A fianco: La cupola di San Pietro
La grandiosa concezione di Michelangelo per la cupola di San Pietro si coglie pienamente anche all'interno della basilica. L'invaso, inondato di luce, si spalanca al termine delle navate: i mosaici della calotta, realizzati su cartoni del Cavalier d'Arpino, presentano, su vari registri, papi, Dottori della chiesa, Santi, Apostoli e angeli fino a concludersi con l'*Eterno padre benedicente* del lanternino.
Sopra: Castel Sant'Angelo
Il poderoso Castel Sant'Angelo domina il Tevere dall'alto del suo volume cilindrico. Il nucleo originario del colossale monumento è il mausoleo funerario dell'imperatore Adriano, ampliato e trasformato nel Rinascimento. Davanti, scavalca il Tevere il bel Ponte Sant'Angelo, con una serie di statue realizzate da Bernini e dai suoi allievi.

Opposite: Dome of Saint Peter's Basilica
Michelangelo's concept for the dome of Saint Peter's Basilica can be experienced both inside and out. The space, inundated with light, reaches the end of the naves. The mosaics on the cap, based on cartoons by Cavalier d'Arpino, depict popes, doctors of the church, saints, apostles and angels and reach their peak with the *Eternal Father* in the clerestory.
Above: Castel Sant'Angelo
Castel Sant'Angelo looms over the Tiber river with its cylindrical mass. The original complex was the mausoleum of the emperor Hadrian, which was then enlarged and transformed during the Renaissance. The Sant'Angelo Bridge crosses the Tiber right in front of it. The bridge bears a series of statues by Bernini and his students.

A fianco: il Pantheon
Costruito da Agrippa nel 27 d.C. e radicalmente restaurato dall'imperatore Adriano nel II secolo, il Pantheon, ossia il tempio "dedicato a tutti gli dei", è l'edificio classico meglio conservato in assoluto. Corona l'edificio l'enorme cupola a calotta – realizzata con una sola gittata – a cinque ordini di lacunari digradanti che si restringono, mostrando un affascinante effetto prospettico, fino al grande oculo centrale aperto di 9 metri di diametro.
Sopra: Il parco di Villa Borghese
Nel parco di Villa Borghese il neoclassico tempio di Esculapio si specchia nelle acque del laghetto. I parchi secolari delle residenze aristocratiche, e in modo particolare il meraviglioso e grande giardino che circonda Villa Borghese, sono vere oasi di sosta, di tranquillità e di frescura.

Opposite: Pantheon
The Pantheon (meaning "temple to all the gods"), built by Marcus Agrippa in 27 A.D. and rebuilt drastically by emperor Hadrian in the 2nd century, is an amazingly well-preserved classical building. The enormous structure is crowned by a calotte dome—created with a single casting—with five levels of coffers that decrease in size, offering a fascinating perspective and leading up to a central oculus that is 9 meters in diameter.
Sopra: Villa Borghese Park
In the Villa Borghese park, the neoclassical Temple of Aesculapius is reflected in a small lake. The centuries-old gardens of aristocratic residences, particularly the marvelous and expansive garden around the Villa Borghese, are oases of tranquility and shade.

Sopra e a fianco: La fontana di Trevi e Piazza Navona
Le fontane di Roma sono uno spettacolo sempre imprevedibile. Dalla grandiosa Fontana di Trevi alle "mostre" degli acquedotti, dalle minuscole fontanelle di quartiere alle vasche che dilagano nelle piazze. Genio incomparabile nell'uso combinato della pietra e dell'acqua fu Gian Lorenzo Bernini: alle sue invenzioni barocche si ispira l'ottocentesca Fontana del Nettuno, in piazza Navona.
pp. 182-183: Caprarola
Il paesaggio di Caprarola è dominato dalla villa Farnese, impressionante simbolo di potere sul territorio, progettata a metà del Cinquecento da Antonio da Sangallo il Giovane come una cittadella fortificata. Jacopo Vignola rese più godibile la severa mole pentagonale con la realizzazione del parco sul retro e con la felice soluzione del cortile circolare.

Above and opposite: Fountain of Trevi and Piazza Navona
Rome's fountains are always unpredictable, from the stately Fountain of Trevi to the "shows" provided by the aqueducts, from tiny neighborhood fountains to basins that cross entire piazzas. Gian Lorenzo Bernini was truly a genius when it came to combining stone and water, and his Baroque creations inspired the 19th-century Fountain of Neptune in Piazza Navona.
pp. 182-183: Caprarola
Any view of Caprarola from a distance is dominated by the Villa Farnese, the impressive symbol of dominion over the area that was designed in the mid-1500s by Antonio da Sangallo the Younger as a fortified citadel. Jacopo Vignola improved the severe pentagon-shaped building by creating a park in the back and by adding the pleasant circular courtyard.

IS SIGNIS ET ANA
GLYPHIS TA
NI CVLTV AB
SOLVTVM A DOM MDC
CLEMENTIS XIII PONT MAX OPVS

A fianco: Gaeta
Romana, medievale, aragonese: la parte antica di Gaeta occupa una spettacolare penisoletta protesa sulle acque del Tirreno, quasi al confine tra Lazio e Campania. Celebrata dai poeti fin dall'antichità, è uno dei luoghi "militari" per antonomasia: nella sua lunga storia, il castello ha sostenuto ben 14 assedi.
Sopra: Civita di Bagnoregio
Soprannominata "la città che muore", Civita di Bagnoregio, in provincia di Viterbo, è un incredibile borgo medievale sul cucuzzolo di una rupe di tufo, le cui pareti sono state erose dal vento e dal tempo. L'unico accesso è un lungo viadotto, che pare sospeso sui secoli.

Opposite: Gaeta
Roman, Medieval, Aragonese: The ancient part of Gaeta occupies a spectacular peninsula that juts into the water of the Tyrrhenian Sea, almost at the border between Latium and Campania. Celebrated by poets since ancient times, it is a potent symbol of military actions; during the castle's long history it was under siege 14 different times.
Above: Civita di Bagnoregio
Known as "the dying town," Civita di Bagnoregio in the province of Viterbo is a beautiful Medieval town atop a tuff-stone cliff that has been eroded by wind and time. The only way to access the town is via a long viaduct that looks as though it, too, is centuries old.

Campania - Campania

Tesori sotto il sole
Treasures in the sun

La "cartolina" è scontata: il cielo limpido, il pino marittimo sul colle di Posillipo in primo piano, il cono del Vesuvio sullo sfondo, e in mezzo Napoli, tra la densità monumentale del centro storico e l'azzurro intenso del mare. È tutto vero, ma non basta. Per cominciare, bisogna scendere a valle e tuffarsi nel centro storico napoletano, vigilato da quattro splendidi castelli, attraversare piazze e strade colme di meraviglie, in cui la memoria dell'aristocrazia spagnolesca si mescola con una brulicante vitalità quotidiana. Si può cominciare, per esempio, con le chiese medievali: San Giovanni a Carbonara con gli incredibili monumenti funebri tardogotici dei re; Santa Maria Donnaregina, con gli affreschi trecenteschi del coro delle monache; Sant'Anna dei Lombardi, autentico museo di scultura; le basiliche conventuali di San Lorenzo Maggiore e di Santa Chiara, i più nobili esempi dell'architettura gotica della Napoli angioina. Poi il Duomo, snodo della storia e dell'arte, dove si trova di tutto, dalle memorie paleocristiane al tesoro di san Gennaro, e, al di là della strada, la cappella del Pio Monte di Misericordia, con un vertiginoso capolavoro di Caravaggio. Poi, il barocco: sempre nella densa urbanistica dei quartieri centrali va in scena lo spettacolo infinito in ambienti come l'incredibile, alchemica Cappella Sansevero, la chiesa di San Paolo Maggiore, quella dei Gerolamini, l'interno del Gesù. E senza dimenticare i musei, quello Archeologico e quello di Capodimonte: Napoli è un mondo intero, e la si lascia malvolentieri. Si possono fare brevi escursioni, puntando ai luoghi arcani dell'archeologia (Baia, Pozzuoli, Cuma), o alle celeberrime isole di Capri e di Ischia, che chiudono il golfo. E poi, come si può resistere al desiderio di scendere fra le strade millenarie di Pompei e di Ercolano, le città sepolte dal Vesuvio nel 79 d.C. e restituite dagli scavi in uno stato di conservazione sorprendente, come se fossero state appena abbandonate dagli abitanti in fuga dall'eruzione?

Così, a poco a poco, abbiamo cominciato a "conquistare" la Campania, una regione ampia e complessa, fatta di mare e di montagne. La prossima meta può essere Caserta con la sterminata Reggia dei Borbone, capolavoro tardobarocco di Vanvitelli, con il suo grandioso parco fatto di boschi, di acque e di fontane. A poca distanza, ecco la duplice Capua, quella archeologica degli "ozi" di Annibale con il suo immenso anfiteatro e quella medievale costruita al riparo di un'ansa del fiume Volturno. Proseguendo nell'entroterra ci si inoltra poi nell'antico ducato longobardo di Benevento, terra leggendaria intorno a una città che a molte riprese è stata al centro della storia.

Scegliendo invece di muoversi da Napoli verso sud, superata Punta Campanella, ci si affaccia sullo spettacolo della Costiera Amalfitana. Sembra quasi incredibile che nel Medioevo Amalfi fosse la capitale di una Repubblica Marinara in grado di sfidare le potenze navali di Pisa, Genova e Venezia: ma in questa tortuosa lingua di terra i borghi raccontano storie di glorie antiche, ancora ben percepibili in cittadine meravigliose come Ravello, Positano, Sorrento. Siamo arrivati a Salerno, con il suo vasto Duomo e con la memoria della storica Scuola Medica. Se ancora i nostri sensi non sono sazi possiamo puntare verso la remota e bellissima certosa di Padula. Non senza aver toccato ancora una meraviglia senza tempo di questa regione, i tre templi greci di Paestum, superbi colonnati rimasti integri tra gli oleandri, le cicale e il sole.

Campania is a region of postcard pictures: the clear blue sky, a shot of a maritime pine on the Posillipo hill with the cone of Vesuvius in the background, the densely populated center of Naples and the bright blue of the sea. These images can be seen in person, but Campania has so much more to offer than just these familiar, albeit beautiful, images. First, descend down the valley into the center of Naples, watched over by three splendid castles. Walk its piazzas and its streets full of marvels, where the legacy of Spanish aristocracy mixes with the swarming vitality of the present. Visit its Medieval churches: San Giovanni a Carbonara with its incredible late Gothic funeral monuments to the kings; Santa Maria Donná Regina, with its 14th-century frescoes in the monks' choir room; Sant'Anna dei Lombardi, a true museum of sculpture; the convent basilicas of San Lorenzo Maggiore and Santa Chiara, the best examples of Gothic architecture from Angevin Naples. Then there's the city's cathedral, full of history and art of all kinds, from paleochristian items to the treasure of Saint Januarius. Across the way is the chapel of Pio Monte di Misericordia with its stunning Caravaggio. From there, move on to the Baroque buildings: In the tight-knit city center there are a seemingly infinite number of such sites, including the incredible, alchemic Sansavero Chapel, the Church of San Paolo Maggiore, the Church of Gerolamini and the interior of the Church of Gesù. The list goes on with the Archeological Museum and the Museum of Capodimonte. Naples is a world unto itself, and it may be hard to tear yourself away from it, but there are appealing day trips to be taken to the less well-known archeological sites (Baia, Pozzuoli and Cuma), not to mention the deservedly famous islands of Capri and Ischia in the gulf. And who could resist the urge to walk the ancient streets of Pompeii and Herculaneum? These cities were buried when Vesuvius erupted in 79 A.D. and are perfectly preserved as they were when residents fled.

But Campania offers much more. It's a large and varied region with both sea and mountains. After Naples, make your way to Caserta with its Royal Palace, a late Baroque masterpiece by Vanvitelli, and its enormous park with wooded areas, bodies of water and fountains. Nearby is Capua, which is divided into two parts—the archeological site with Hannibal's luxurious residence, including a large amphitheater, and the Medieval area built in a spot protected by the curve of the Volturno River. Farther inland is the ancient Lombard duchy of Benevento, a city that at several different points in history took center stage.

To the south of Naples, past Punta Campanella, sits the spectacular Amalfi Coast. In the Middle Ages, Amalfi was the capital of a seafaring republic that had a navy to rival those of Pisa, Genoa and Venice. Each small town along this winding tongue of land has its own story of ancient glory. Small cities such as Ravello, Positano and Sorrento still shine today. Continuing along this path you'll arrive in Salerno with its enormous cathedral and its ancient medical school. From there, travel to remote and lovely Padula with its charterhouse. You'll still have plenty left to explore in the region, including the three Greek temples in Paestum. Their colonnades have remained intact and sit serenely, keeping company with oleander, chirping crickets and the sun.

A fianco: Affascinante è il panorama offerto dalla costa di Capri: i tre picchi chiamati faraglioni che emergono dal mare, sono le rocce scampate al franamento, e magicamente scolpite dall'erosione del mare e degli agenti atmosferici. Il primo faraglione, quello unito alla terra, viene nominato Stella, il secondo, separato dal primo per un tratto di mare, è comunemente chiamato faraglione di Mezzo e il terzo faraglione di Fuori o Scopolo, cioè capo o promontorio sul mare.

Opposite: The view from the coast of Capri is captivating: The three *faraglioni*, or stacks, sticking out of the water are hulking rocks that resulted from a rockslide and have since been sculpted by the sea and other elements into their current form. The first rock, which is connected to the land, is known as Stella; the second, which is separated from the first by water, is known as Mezzo; and the third is called Fuori or Scopolo, meaning a cape or promontory.

D·O·M·D·FRANCISCO·DE·PAVLA·FERDINANDVS·I·EX·VOTO·A·MDCCCXVI

Napoli, Piazza del Plebiscito
Pur fra le contraddizioni e i problemi del presente, Napoli ha davvero lo spirito, il respiro, il tono di una grande capitale mediterranea. La crescita disordinata dei vastissimi quartieri periferici non ha compromesso la magia del meraviglioso sito naturale, il golfo dominato dalla sagoma del Vesuvio e chiuso dalle isole dell'arcipelago. Davvero si comprende come la tradizione abbia immaginato una mitica fondazione da parte della sirena Partenope. Le sagome di quattro castelli (il Maschio Angioino, Castel dell'Ovo, Castel Sant'Elmo e Castel Capuano) contrassegnano i margini del centro storico, che si addensa fittissimo sul reticolo viario greco-romano, con un pullulare di chiese diverse per forme e stili. Entro un'urbanistica congestionata, fino all'effetto di accumulo e di sovrapposizione (affascinanti sono le visite nel sottosuolo), Napoli racchiude mirabolanti tesori d'arte, e anche imprevedibili oasi di silenzio, come i chiostri dei conventi, che spesso occupano lo spazio regolare di interi isolati della città antica. La neoclassica Piazza del Plebiscito, con le ali di portici raccordate alla facciata neoclassica di San Ferdinando, è il "salotto" di Napoli, e uno dei pochi vasti spazi aperti in un centro storico fittissimo.

Naples: Piazza del Plebiscito
Naples truly has the spirit, the feel and the tone of a great Mediterranean city, no matter its current issues and contradictions. The out-of-control growth of enormous areas just outside the city has not compromised the magic of the natural beauty of its location—the gulf with Vesuvius in profile and the islands of the archipelago nearby. Many have believed the myth that says the city was founded by the siren Parthenope, and observing the city, you can see why. The city's four castles (Maschio Angioino, Castel dell'Ovo, Castel Sant'Elmo and Castel Capuano) mark the borders of the historic center, a densely populated area with a Greco-Roman street grid that houses a multitude of churches in various forms and styles. In an urban environment so congested that it feels as if buildings are built one on top of the other (and even the area underground has been developed and is a fascinating place to visit), Naples also offers incredible artwork. It even has some almost eerily silent areas, such as convent cloisters, many of which occupy entire blocks in the ancient city. The neoclassical Piazza del Plebiscito, with winged porticoes connected to the neoclassical facade of San Ferdinando, is the "living room" of Naples and one of the few wide open public spaces in the dense city center.

Napoli, il Maschio Angioino
La conquista di Napoli da parte del re di Aragona (1442) ha delle notevoli ricadute anche in campo artistico, a cominciare dalla radicale modifica del Maschio Angioino, ribattezzato Castel Nuovo e trasformato in una moderna dimora reale, fortezza sicura e allo stesso tempo sontuoso palazzo. Alla presenza di maestranze provenzali, francesi, lombarde e fiorentine si sommano ora numerosi artisti provenienti dai territori catalano-aragonesi. Castel Nuovo diventa così scenario di un interessante confronto tra la tradizione catalano-aragonese, fortemente influenzata dallo stile fiammingo, e le correnti provenienti dal nord coltivate a Napoli da artisti quali il dalmata Francesco Laurana e il lombardo Domenico Gagini, impegnati nell'esecuzione dell'arco di trionfo che fa da ingresso, tra due imponenti torri cilindriche.

Naples: Maschio Angioino
When the King of Aragon conquered Naples in 1442, it left a real mark on the city in artistic terms, beginning with the drastic changes made to the Maschio Angioino, renamed Castel Nuovo and transformed into a modern royal residence that was both protected fortress and sumptuous palace. Workers from Provence, France, Lombardy and Florence were joined by others from Catalan-Aragonese territory. Castel Nuovo became the site of an interesting contrast between Catalan-Aragonese tradition, strongly influenced by the Flemish style, and trends arriving from the North. The latter were cultivated in Naples by artists such as the Dalmatian Francesco Laurana and Lombard Domenico Gagini, who worked on the triumphal arch that stands at the entrance between two cylindrical towers.

A fianco: Amalfi
Il campanile della cattedrale di Amalfi, eretto tra il XII e il XIII secolo, presenta, sulla sommità, una cupola principale contornata da quattro cupolette più piccole; ma la sua caratteristica più originale è la decorazione del coronamento, coperto da tegole maiolicate gialli e verdi di stile arabeggiante.
Sopra: La Costiera amalfitana, Atrani
La stupenda costiera amalfitana, in provincia di Salerno, è un tratto di litorale con scogli a picco, strade tortuose e insenature che ospitano pittoreschi paesi. La natura accidentata del promontorio, sotto le verdi pendici dei Monti Lattari, sprofonda rapidamente verso il mare. È un connubio tra il mondo contadino e il commercio marittimo, la combinazione vincente che nel Medioevo ha fatto di Amalfi la piccola ma potente capitale di una Repubblica Marinara, capace di rivaleggiare con Pisa, Genova e Venezia.
Sopra una veduta di Atrani mostra la complicata rete urbanistica dei centri sorti lungo la costiera: durante il Medioevo, ai tempi della Repubblica Marinara, la vicina Atrani era la residenza preferita dei nobili di Amalfi.

Opposite: Amalfi
The bell tower of the Amalfi cathedral, built in the 12th and 13th centuries, has a large dome on top, surrounded by four smaller domes. The cathedral's most original details, however, are its highly decorative yellow and green majolica tiles in Arabesque style.
Above: Atrani in the Amalfi Coast
The stupendous Amalfi Coast, in the province of Salerno, is a coastal area with jagged rocks, winding roads and inlets that open up to stunning views. The uneven promontory, under the green slopes of the Lattari Mountains, tumbles down toward the sea. The combination of farming and seafaring cultures was a winning one in the Middle Ages and rendered Amalfi the small but powerful capital of a seafaring republic that could hold its own against Pisa, Genoa and Venice.
Atrani's layout exemplifies the tangled street grids of the towns that sprang up along the coast. During the Middle Ages, at the time of the seafaring republic, nearby Atrani was the preferred residence of the nobles of Amalfi.

Sopra: Positano
Nella costiera amalfitana il connubio tra l'azzurro del Mediterraneo e il verde della costa è interrotto dalle case colorate che caratterizzano i borghi costruiti sul mare: uno dei più antichi è Positano, multicolore luogo di villeggiatura sin dall'epoca romana.
A fianco: Ravello
Vero gioiello del mondo mediterraneo, Ravello offre un perfetto equilibrio tra arte, natura e ricerca dei piaceri della vita. Villa Rufolo, sorta nel XIII secolo, offre un incantevole belvedere.

Above: Positano
The blue of the Mediterranean and the green of the land along the Amalfi Coast is interrupted only by colorful houses grouped together in towns built right on the water. One of the oldest of these towns is Positano, a popular vacation spot since Roman times.
Opposite: Ravello
A true jewel of the Mediterranean, Ravello offers the perfect balance of art, nature and pleasure-seeking. Villa Rufolo, erected in the 13th century, offers a beautiful belvedere.

Ischia
Ischia è la più grande fra le isole del golfo di Napoli. I greci, che la chiamavano "pithecousa" (isola delle scimmie) la raggiunsero già nel 775 a.C., ma la colonizzazione della fertile isola vulcanica è soprattutto legata ai Fenici. Ricca di acque termali, Ischia gode di un clima delizioso, e di panorami straordinari. Inconfondibile è l'isolotto fortificato del Castello, sul quale si trovano anche i resti dell'antica cattedrale.

Ischia
Ischia is the largest island in the Gulf of Naples. The Greeks, who called it *pithecousa* (monkey island), landed on Ischia as early as 775 B.C., but this fertile volcanic island was mainly colonized by the Phoenicians. Rich in thermal springs, Ischia enjoys a fantastic climate and offers incredible views. One of its highlights is the fortified small island nearby that holds the castle and the remains of an ancient cathedral.

Sopra: Paestum
Paestum, l'antica Poseidonia, fu fondata come colonia greca nel IV secolo a.C. e vi vennero realizzati edifici monumentali di particolare importanza promossi dai governi dei tiranni. La città era caratterizzata da un'impostazione a maglie regolari nelle quali i complessi più significativi furono posizionati in modo coerente con le necessità collettive. Particolarmente importanti sono i tre grandi templi, due di ordine dorico, e uno di ordine dorico e ionico, che costituiscono alcuni dei migliori esemplari di questi stili.
A fianco: Ercolano
La sepoltura di alcuni centri abitati nei dintorni di Napoli sotto i detriti della più celebre eruzione dei Vesuvio ha permesso la conservazione di innumerevoli testimonianze di arte e architettura romane. Dall'eruzione del 79 d.C. fino alla scoperta, nel XV secolo, città come Pompei, Ercolano e Oplontis sono rimaste conservate e "dimenticate" sotto la lava. Gli scavi, avviati in modo sistematico solo nella seconda metà del Settecento, permisero non solo di capire ma di "vedere" come era strutturata una città romana a quell'epoca e in che modo erano costruite le case, fornendo numerose informazioni sulla vita quotidiana.

Above: Paestum
Paestum, known in ancient times as Poseidonia, was founded as a Greek colony in the 4th century B.C. Large-scale construction took place there at the behest of various tyrannical governments. The city was based on an organized grid with the most important buildings positioned where they would best serve public need. Of particular note are the three temples, two of which are Doric, and one of which is both Doric and Ionic—some of the best known examples of these styles.
Opposite: Herculaneum
The detritus from a famed eruption of Vesuvius in 79 A.D. buried several towns around Naples and preserved many examples of Roman art and architecture. From the time of that eruption until the 14th-century discovery of towns such as Pompeii, Herculaneum and Oplontis, they remained preserved and all but forgotten under the lava. Excavation began to be performed systematically in the area only in the late 1700s. Such excavation led to the discovery of important individual items, but it also allowed archeologists to see how a Roman city of that era was structured, how its houses were built and what daily life was like during that time.

Sopra: Pompei
La città di Pompei, il centro principale dell'archeologia vesuviana e uno dei complessi monumentali più celebri e visitati d'Italia, ha origini antiche quanto Roma: la *gens pompeia* (formata in origine da Oschi, uno dei primi popoli italici) la fondò nell'VIII secolo a.C., dando il nome di famiglia al primo insediamento urbano. Nel IV secolo Pompei era già una città considerevole, più grande delle altre città vicine e in particolare di Neapolis (Napoli) che allora era di dimensioni modeste.
Buona parte dell'antica Ercolano è ancora da scavare, nascosta sotto l'attuale abitato: ma l'ampia porzione visitabile mostra edifici ed opere d'arte di straordinaria raffinatezza. Mentre gli abitanti di Pompei morirono per le esalazioni del vulcano, la popolazione di Ercolano fece in tempo a mettersi in fuga mentre la lava avanzava inesorabilmente.
A fianco: la Villa dei Misteri
Appena fuori dal centro storico di Pompei la Villa dei Misteri presenta uno straordinario ciclo di affreschi con scene di iniziazione, esempio rarissimo di pittura murale classica di grandi dimensioni. Lo sfondo delle scene è il caratteristico colore "rosso pompeiano".

Above: Pompeii
The city of Pompeii, a major archeological site by Vesuvius and one of the best-known and most visited sites in Italy, is as old as Rome itself. *Gens pompeia* (descendants of the Osci, an Italic people) founded it in the 8th century B.C. and named it for the family group that settled there first. In the 4th century, Pompeii was already a significantly large city, larger than the other cities in the area, including Neapolis (Naples), which was of modest size at the time.
Much of ancient Ercolano (Herculaneum) still remains to be excavated, as it is buried under the modern-day inhabited city, but the large portion that can be visited contains extraordinarily refined buildings and artwork. While the inhabitants of Pompeii died due to volcanic exhalations, the people of Herculaneum managed to flee ahead of the unstoppable advance of the lava.
Opposite: Villa of the Mysteries
Just outside of the historic center of Pompeii, the Villa of the Mysteries offers an extraordinary series of frescoes with scenes of initiation rites. These are very rare examples of large classical wall paintings. The background of the scene is in the color known as "Pompeii red."

SOPRA: LA REGGIA DI CASERTA
Voluta da Carlo III di Borbone per celebrare la potenza del Regno di Napoli, la Reggia di Caserta fu progettata e costruita dall'architetto Luigi Vanvitelli a metà del Settecento. Concepita secondo il modello delle grandi regge europee dell'epoca, secondo le intenzioni del committente essa non doveva temere confronti con la grande Versailles. Il grandioso complesso, costituito da circa 1200 stanze, è circondato da un parco di 120 ettari, dove si trovano un giardino all'italiana, un giardino all'inglese e numerose fontane di gusto barocco.
A FIANCO: LA FONTANA DI DIANA E ATTEONE
Il parco della Reggia di Caserta ospita numerose vasche e fontane. Il percorso si conclude con una grande e scenografica cascata, dove si trova la fontana di Diana e Atteone, opera degli scultori Paolo Persico, Pietro Solari e Angelo Brunelli. Mentre Diana sta per immergersi nelle acque, Atteone, che aveva osato guardare la dea, si sta trasformando in un cervo ed è attorniato da una muta di cani pronti a sbranarlo.

ABOVE: ROYAL PALACE OF CASERTA
Commissioned by the Bourbon King Charles III to highlight the powerful position of the Kingdom of Naples, the Royal Palace of Caserta was designed and built by architect Luigi Vanvitelli in the mid-1700s. It was modeled after the grand palaces of Europe of the era—indeed, the king requested a palace that would compare favorably to Versailles. The resulting majestic complex, with approximately 1,200 rooms, is surrounded by 120 hectares of park land, including an Italian garden, an English garden and numerous Baroque style fountains.
OPPOSITE: FOUNTAIN OF DIANA AND ACTAEON
The park surrounding the Royal Palace of Caserta has numerous basins and fountains. End your tour of the grounds at the large and picturesque waterfall and the Fountain of Diana and Actaeon, sculpted by Paolo Persico, Pietro Solari and Angelo Brunelli. The fountain depicts the goddess Diana, who is about to get into the water, and Actaeon, who, having dared to gaze upon her, is being transformed into a stag while surrounded by a pack of dogs ready to tear him to pieces.

PUGLIA - Apulia

Il "tacco" d'Italia proteso nel Mediterraneo
Italy's "heel" juts into the Mediterranean

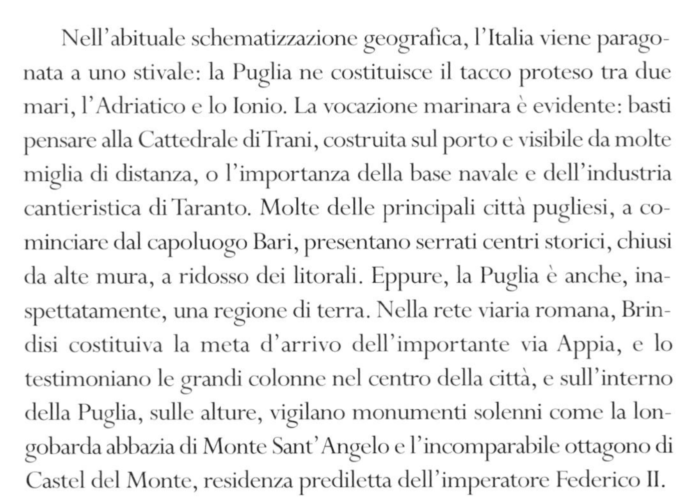

Nell'abituale schematizzazione geografica, l'Italia viene paragonata a uno stivale: la Puglia ne costituisce il tacco proteso tra due mari, l'Adriatico e lo Ionio. La vocazione marinara è evidente: basti pensare alla Cattedrale di Trani, costruita sul porto e visibile da molte miglia di distanza, o l'importanza della base navale e dell'industria cantieristica di Taranto. Molte delle principali città pugliesi, a cominciare dal capoluogo Bari, presentano serrati centri storici, chiusi da alte mura, a ridosso dei litorali. Eppure, la Puglia è anche, inaspettatamente, una regione di terra. Nella rete viaria romana, Brindisi costituiva la meta d'arrivo dell'importante via Appia, e lo testimoniano le grandi colonne nel centro della città, e sull'interno della Puglia, sulle alture, vigilano monumenti solenni come la longobarda abbazia di Monte Sant'Angelo e l'incomparabile ottagono di Castel del Monte, residenza prediletta dell'imperatore Federico II.

Un binomio felice di terra e di mare, di spiagge e uliveti, di porti e masserie: la Puglia invita a guardare alternativamente verso la distesa azzurra delle acque e le groppe ondulate delle colline, passando alle inaspettate foreste del Gargano fino al faro di Santa Maria di Leuca, estremità orientale della penisola italiana, dalle Isole Tremiti al mondo sotterraneo delle grotte di Castellana, agli straordinari agglomerati di trulli della Val d'Itria.

Con l'eccezione delle stupende oreficerie greche custodite nel Museo Nazionale di Taranto, la Puglia presenta meno ricchezze archeologiche rispetto alle altre regioni dell'Italia meridionale, ma in compenso presenta un'eccezionale serie di cattedrali romaniche. La Puglia medievale è una terra di passaggio, di transito dall'Italia e, più in generale, dall'Europa, alla Grecia e al mondo orientale. Per questo, si susseguono in breve tempo diversi occupanti: i longobardi, poi i bizantini e, infine, i normanni, che conquistano Bari intorno al 1070. Da queste molteplici influenze culturali nasce uno stile romanico peculiare, in cui si mescolano richiami orientali e robuste impostazioni continentali. La lista dei monumenti pugliesi è lunga: Manfredonia, Barletta, Molfetta, Troia, Bitonto, Bari, Trani, Ruvo, Altamura, giù giù fino a Otranto, che custodisce il più straordinario pavimento a mosaico del medioevo europeo.

Minore fortuna ha goduto la Puglia durante il Quattro e il Cinquecento, quando la sua facile accessibilità dalla Grecia l'ha posta a lungo sotto l'incubo delle scorrerie delle feluche con la bandiera della mezzaluna, alla ricerca di bottini e di schiavi. Il massacro di circa 800 abitanti di Otranto è l'episodio più sanguinoso, ma la minaccia rimane costante e incombente fino alla battaglia di Lepanto (1571). La vittoria dei legni cristiani fa finalmente tirare un respiro di sollievo ai centri litoranei. Lecce e tutto il Salento, proteso nel mare verso l'Oriente ottomano, si trasformano in un territorio privilegiato per l'azione della Controriforma. Congregazioni e ordini religiosi (come i Celestini, i Gesuiti, i Teatini) fondano chiese e conventi; i santi protettori risalgono sulla cima di colonne, guglie, pinnacoli e facciate; l'architettura fantasiosa, fastosa, allegra e originale rispecchia un clima di fervore religioso. Si apre la stagione del barocco leccese, una delle più sorprendenti e coinvolgenti stagioni dell'arte italiana. Non si tratta affatto di un fenomeno locale: quanto avviene a Lecce è un laboratorio precoce e importante per quello stile esuberante che dal vicereame di Napoli raggiunge presto la Spagna e da qui verrà esportato verso le colonie d'oltremare, soprattutto in America latina.

Italy is often described as having the shape of a boot. Apulia, then, is the boot's heel, jutting out between the Adriatic Sea and the Ionian Sea. This region's people have naturally been drawn to the seafaring life, and that is evidenced in many ways: Just think of the Trani cathedral, built right at the port and visible from many miles away, or the naval base and shipbuilding industry in Taranto. Many of the larger cities in Apulia, including the region's capital, Bari, have historic centers that are closed off by high walls along the coast. Yet Apulia is actually a region that revolves around land to a surprising degree. The end of the much-traveled Appian Way of the Roman road network is marked with columns in Brindisi. And in the Apulian interior, up in the hills, there are somber buildings such as the Lombard Abbey of Monte Sant'Angelo and the incomparable octagonal Castel del Monte, Emperor Frederick II's favorite residence.

A happy combination of sea and land, of beaches and olive groves, of ports and farms, Apulia invites you to gaze over the bright blue waters and then to turn your attention to the undulating hills, going from the woods of Gargano to the lighthouse at Santa Maria di Leuca, the easternmost point on the Italian peninsula, to the Tremiti Islands and the underground world of the grottoes of Castellana to the extraordinary *trulli* in the Itria Valley.

Apulia has fewer archeological riches than other regions in southern Italy. (The fabulous Greek gold pieces housed in the National Museum of Taranto are one exception.) It does, however, offer exceptional Romanesque cathedrals. Medieval Apulia is a place of passage, of transit from Italy and Europe in general to Greece and the eastern world. For this reason, the area was occupied by one group after the other: the Lombards, then the Byzantines and, finally, the Normans, who conquered Bari some time around 1070. These varied cultural influences gave rise to a unique Romanesque style that combines eastern influences with strong continental foundations. The list of cities in Apulia with impressive architecture is a long one: Manfredonia, Barletta, Molfetta, Troia, Bitonto, Bari, Trani, Ruvo, Altamura, all the way down to Otranto, home to the most extraordinary Medieval European floor mosaics.

Apulia was less fortunate during the 15th and 16th centuries, when its easy accessibility from Greece made it vulnerable to a long series of raids by Turks looking for loot and slaves. The massacre of about 800 inhabitants of Otranto is the bloodiest episode from that period, but the area was under constant heavy threat up until the Battle of Lepanto in 1571. That definitive victory by the Christian maritime forces allowed communities up and down the shoreline to breathe a sigh of relief. Lecce and all of the Salento area, which reached toward the Ottoman East, became crucial to counter-reform. Various congregations and religious orders (including the Celestines, Jesuits and Theatines) founded churches and convents. Protector saints once again appeared on hilltops, steeples, spires and facades. And imaginative, splendid, joyful and original architecture reflected that climate of religious fervor. Thus began the era of the Lecce Baroque, one of the most unique and easily appreciated styles in Italian art. The Lecce Baroque was not just a local school. Instead, Lecce became an early and important proving ground for the expressive style that from the viceroyalty of Naples would be exported to Spain and from there would spread to Spanish colonies around the world, especially in Latin America.

A fianco: Un popolo di statue barocche, modellate nella morbida e calda pietra locale, si affolla sulle facciate delle chiese di Lecce.

Opposite: A group of Baroque statues sculpted from the soft, warm-toned local stone decorate the facades of the churches of Lecce.

SOPRA: CASTEL DEL MONTE
Inconfondibile per la perfetta struttura ottagonale, ai cui otto spigoli si innestano altrettante torri della stessa forma, Castel del Monte sorse intorno al 1240 per esplicita volontà dell'imperatore Federico II di Svevia, protagonista della politica e della cultura nel Meridione italiano durante la prima metà del Duecento. Costruito in posizione isolata su un'altura delle Murge, il castello appare dall'alto molto simile a una corona. Federico II, l'imperatore tedesco nato e vissuto in Italia, diede al suo edificio prediletto una forma e dei contenuti simbolici fortemente connessi al ruolo imperiale, espressione della sua personalità di uomo illuminato e grande amante delle arti e delle scienze.
A FIANCO: LECCE, LA CHIESA DI SANTA CROCE
L'edificio da cui prende avvio il barocco leccese è la chiesa di Santa Croce, la cui lunga realizzazione si conclude nel 1646. Sotto lo spettacolare rivestimento scultoreo la struttura è in realtà molto rigorosa e semplice, ma l'aspetto più affascinante resta la decorazione della facciata. Sculture grandi e piccole, rilievi, intagli, simboli coprono ogni spazio disponibile, in un crescendo di leggerezza e di fantasia, fino al fastigio sommitale.

ABOVE: CASTEL DEL MONTE
Castel del Monte, with its unusual octagonal shape—eight corners and eight identically shaped towers—was built circa 1240 by explicit request of Emperor Frederick II of Swabia, who was active in politics and culture in southern Italy during the first half of the 1200s. Built in an isolated position on a hill in the Murge area, the castle looks like a crown when viewed from above. Frederick II was a German emperor who was born and lived in Italy, and he wanted his favorite building to reflect his role as emperor both symbolically and in terms of actual use of space. He considered it an expression of his personality as an enlightened man and a great lover of art and science.
OPPOSITE: LECCE, CHURCH OF SANTA CROCE
The Church of Santa Croce, the Holy Cross, was completed in 1646 and marked the beginning of the Lecce Baroque style. Under the spectacularly sculpted exterior, the rest of the building is actually quite severe and simple, but the highly decorated facade deserves close study. Small and large sculptures, reliefs, intaglio and symbols cover every available inch, and the decoration hits a crescendo of playfulness and imagination with its crowning pediment.

SOPRA: LOCOROTONDO
Il nome di Locorotondo spiega efficacemente le caratteristiche del singolare abitato: intorno alla grande chiesa parrocchiale, le abitazioni si dispongono seguendo un perimetro perfettamente circolare. Il contrasto tra il bianco della calce, il grigio della pietra, il verde degli uliveti e l'azzurro del cielo è la tavolozza tipica del paesaggio pugliese.
A FIANCO: TRANI
A dominio del porto che guarda verso l'Adriatico, la cattedrale di Trani è uno dei più integri e spettacolari edifici romanici d'Italia. Impostata su una pianta a croce latina, divisa in tre navate terminanti in altrettante absidi, presenta un notevole sviluppo del corpo del transetto, da cui emergono gli alti e stretti cilindri absidali. Tutto l'edificio fu costruito utilizzando il tufo calcareo estratto da cave locali, caratterizzato da un colore roseo chiarissimo, quasi bianco.

ABOVE: LOCOROTONDO
The name Locorotondo, meaning "round place," pithily explains the characteristics of this unique town: The buildings of the town form a perfect circle with the parish church at its center. The contrasting white of the limestone, gray stone, green of the olive groves and blue sky comprise the typical color palette of the countryside of Apulia.
OPPOSITE: TRANI
The cathedral of Trani, a port city on the Adriatic Sea, is one of the most accomplished and spectacular Romanesque buildings in Italy. It was built on a Latin cross plan, with a nave and two side aisles that lead up to three apses. The transept is also significant, and narrow apsidal cylinders rise out of it. The entire building was constructed of tuff limestone from local quarries that has a particular light pink, almost white, color.

Alberobello

Fondata nel XV secolo dai conti di Aquaviva, Alberobello è una località unica nel suo genere. Piccolo paese agricolo a partire dal XVII secolo, è caratterizzato dalle particolari abitazioni, i trulli, che emanano un'atmosfera fiabesca e magica. Il termine "trullo" deriva dal greco *tholos* che significa cupola e fa riferimento all'originale terminazione conica delle costruzioni, realizzata dalla sovrapposizione a secco in cerchi concentrici di pietre calcaree chiamate "chiancarelle". Conclude l'abitazione all'apice una pietra – "serraglia" – e un pinnacolo. Spesso sul tetto sono dipinti a calce simboli magici o religiosi. La forma di queste particolari abitazioni si deve agli antichi proprietari della zona che desideravano sviluppare un feudo indipendente dalla corte di Napoli senza avere l'autorizzazione reale. Per questo motivo fecero trasferire nella zona molti coloni dando loro la possibilità di costruirsi un'abitazione solamente se questa fosse eretta a secco, in modo da poter essere facilmente abbattuta nel caso di una improvvisa visita del re di Napoli. Oggi Alberobello è fondamentalmente una località turistica e i trulli ospitano quasi esclusivamente negozi di *souvenirs* o di artigianato locale.

Alberobello

Founded in the 15th century by the counts of Aquaviva, Alberobello is one of a kind. A small farming village since the 17th century, it is best known today for its unique houses, called *trulli,* which look like something out of a fairy tale. The word *trullo* (the singular) derives from the Greek *tholos,* which means dome and refers to the conical roofs of these buildings. The buildings themselves are dry stone huts made of pieces of calcareous limestone known as *chiancarelle.* Each building is topped by a keystone and a pinnacle. Many of these roofs have magic or religious symbols painted on them in lime. The houses are believed to have been built in this shape because the ancient owners of the land wanted to develop a domain separate from the court of Naples without royal authorization. For this reason, the many colonists who moved to the area could build homes only if they were built using dry stone so that they could be dismantled quickly should the King of Naples make a surprise visit. Today, Alberobello is a major tourist attraction and almost all of the *trulli* are souvenir and craft shops.

BASILICATA - BASILICATA

UNA STORIA SCAVATA NELLA ROCCIA
HISTORY CARVED IN STONE

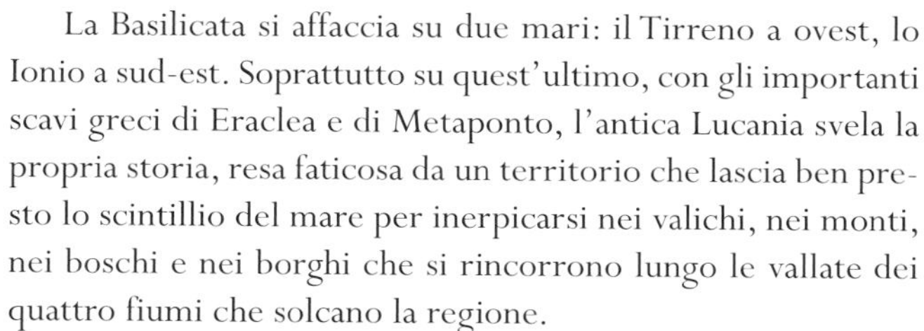

La Basilicata si affaccia su due mari: il Tirreno a ovest, lo Ionio a sud-est. Soprattutto su quest'ultimo, con gli importanti scavi greci di Eraclea e di Metaponto, l'antica Lucania svela la propria storia, resa faticosa da un territorio che lascia ben presto lo scintillio del mare per inerpicarsi nei valichi, nei monti, nei boschi e nei borghi che si rincorrono lungo le vallate dei quattro fiumi che solcano la regione.

Risalire i due corsi d'acqua principali (il Bradano e il Basento, dove secondo la leggenda venne sepolto il goto Alarico, che nel 410 d.C. aveva saccheggiato Roma) permette di cogliere con efficacia le caratteristiche della regione, nel paesaggio, nella cultura architettonica e umana. Si parte dalle macchie di agavi vicino alla riva dello Ionio, sulla quale si levano le solenni colonne doriche di un tempio del VI secolo a.C., note come Tavole Palatine. Girate le spalle al mare, da Metaponto si può salire verso Potenza, o scendere verso la meno lontana Matera. In ogni caso, il paesaggio è simile: terra gialla, colline sempre più aspre, antichi borghi arcigni sulle alture, monumenti quattrocenteschi. Matera presenta un insediamento umano del tutto unico, i Sassi. Ritenuti fino a non molti decenni fa come una "vergogna nazionale", simbolo imbarazzante di un Meridione arretrato, i Sassi sono oggi considerati uno straordinario *habitat* storico e antropologico. Un sistema "cavernicolo" sviluppato attraverso i millenni raccorda anfratti naturali e caverne scavate nel tufo. All'interno delle pareti rocciose si scopre un sistema labirintico di case, depositi, cisterne, passaggi: non più utilizzati come abitazione, i Sassi sono oggi un complesso incomparabile di "archeologia vivente", perfettamente restaurato e accessibile. Potenza, a oltre 800 metri di altitudine, è il capoluogo di regione più alto d'Italia ed è circondata da montagne che si prestano agli sport invernali e alle escursioni da alpinisti. Il piccolo nucleo medievale della città appare interamente circondato da funzionali quartieri moderni, ma i riferimenti storici non mancano affatto. Da Potenza, in direzione della Puglia, si raggiungono i più importanti siti medievali della regione. La severa Acerenza, a dominio della valle del Bradano, propone la più bella cattedrale romanica della Lucania, con un'articolata parte absidale a deambulatorio. Lagopesole e Melfi sono i due colossali castelli fondati a metà del Duecento da Federico II di Svevia, l'imperatore intellettuale, tedesco di origine ma italiano per nascita e per passioni. Nel castello di Melfi, oggi museo, l'imperatore promulgò un famoso codice di leggi, scritte dal suo segretario Pier delle Vigne. Infine, si raggiunge il Vulture, cratere di un vulcano estinto, che ha restituito resti preistorici di uomini, ippopotami ed elefanti. La cavità del vulcano è oggi un vastissimo bosco. L'itinerario panoramico tocca l'antichissima Venosa, che nel centro storico conserva l'edificio romano in cui – secondo la tradizione – nacque nel 65 a.C. il grande poeta latino Orazio. Appena fuori dell'abitato si trova il complesso monumentale dell'Abbazia della Trinità, forse il principale esempio di architettura sacra normanna nell'Italia continentale, con due chiese romanico-gotiche e il palazzo abbaziale.

Basilicata sits between two seas: the Tyrrhenian Sea to the west and the Ionian Sea to the southeast. The coastline of the Ionian Sea is particularly interesting, as it has major Greek excavations in Heraclea and Metaponto in the ancient land of Lucania. In this region, the sea is set close to mountain passes, the mountains themselves, woods and towns running along the valleys of the four rivers that crisscross Basilicata.

The areas surrounding the two major rivers (the Bradano and the Basento, where, according to legend, the Goth Alaric who sacked Rome in 410 A.D. is buried) provide a quick snapshot of the region's landscape, as well as its architecture and culture. Agave plants grow close to the shore of the Ionian Sea, which is also dotted with the Doric columns of a temple from the 6th century B.C. known as the Palatine tables. Moving inland, one can go up to Potenza, or go even further and descend to Matera. In any case, the landscape is similar: yellow earth, increasingly steep hills, quiet ancient towns on the peaks and 15th-century structures. Matera is unique in the world with its *sassi,* or stones. Until just a few decades ago, these were considered a source of national shame, an embarrassing symbol of how backward the South of Italy remained. Today, however, the *sassi* are considered a historic and anthropological treasure. They are a system of caves, some of which developed naturally over millennia of naturally occurring erosion and some of which were dug into tuff-stone. Inside the rocky walls is a maze of houses, storage areas, wells and passageways. The *sassi* are no longer residences, but they are an incomparable form of "living archeology," perfectly restored and fully accessible. Potenza, more than 800 meters above sea level, is the highest province capital in Italy and is surrounded by mountains that are popular for winter sports and rock climbing. The city's small Medieval area is completely surrounded by modern neighborhoods, but the city still has its share of historic locations. Moving toward Apulia from Potenza, the traveler passes through some of the region's most significant Medieval sites. The severe Acerenza, looming over the Bradano river valley, contains the most beautiful Romanesque cathedral in Lucania. It has separate apse and ambulatory areas. Lagopesole and Melfi host two enormous castles commissioned in the mid-1200s by Frederick II of Swabia, an intellectual emperor who was of German origin but who spent his youth in Italy and had a passion for the country. In the Melfi castle, which today is a museum, the emperor created a famous code of law, recorded by his secretary, Pier delle Vigne. Finally, in this area there is Vulture, the crater of an extinct volcano that has been a source for remains of prehistoric man, as well as hippopotamuses and elephants. The volcano's crater is now a giant forest. A tour of the region continues from there to ancient Venosa; in the center of town stands the Roman building where, according to tradition, great Latin poet Horace was born in 65 B.C. Right next to it is the Abbey of the Trinity, perhaps the best example of Norman religious architecture in mainland Italy. The complex consists of two Romanesque-Gothic churches and the abbey building.

A FIANCO: UNA VEDUTA DEL CENTRO STORICO DI MATERA, CON LE TIPICHE CASE COSTRUITE NEL TUFO LOCALE E DETTE APPUNTO "SASSI". LA COMMISTIONE TRA ABITAZIONI COSTRUITE E RICAVATE NELLA ROCCIA COSTITUISCE UN "ECOSISTEMA URBANO" UNICO AL MONDO, DOVE DALL'ETÀ PREISTORICA L'UTILIZZO DI ACQUA, SUOLO ED ENERGIA RISPONDONO A CRITERI DI SOSTENIBILITÀ, DI PERFETTA INTEGRAZIONE TRA UOMO E AMBIENTE.

OPPOSITE: A VIEW OF THE HISTORIC CENTER OF MATERA WITH ITS SIGNATURE HOUSES MADE OF LOCAL TUFF STONE AND KNOWN AS *SASSI,* OR STONES. MATERA HAS A UNIQUE URBAN ECOSYSTEM OF HOUSES BUILT OF STONE AND HOUSES DUG OUT OF THE ROCKS THEMSELVES. SINCE THE PREHISTORIC ERA, THE USE OF WATER, SOIL AND ENERGY IN THIS AREA HAS BEEN HANDLED IN A SUSTAINABLE MANNER, WITH MAN RESPECTFULLY INTEGRATED INTO THE NATURAL ENVIRONMENT.

I SASSI DI MATERA

Il centro storico di Matera è tra i più suggestivi luoghi del sud Italia. Sotto l'altura su cui si trova la bella cattedrale romanica, la parte antica della città è completamente scavata nel tufo, la roccia calcarenitica locale. L'ambientazione abbarbicata sui pendii, l'intrecciata rete viaria, la presenza di antiche chiese rupestri affrescate e la circostante vallata formata da gravine rendono Matera un sito unico, posto sotto la tutela dell'UNESCO come "patrimonio dell'umanità".

THE *SASSI* OF MATERA

Matera's historic center is one of the most evocative places in Italy. Below the hill crowned by the beautiful Romanesque cathedral, the old part of the city has been complete dug out of tuff-stone, the local limestone rock. The buildings appear to cling to the slope, the roadways curve around, ancient rock churches are painted with frescoes and the surrounding valley has numerous ravines—all of these things combine to make Matera truly unique. Indeed, today it is a UNESCO World Heritage site.

CALABRIA - CALABRIA

LA TERRA DEL MARE, FRA ANTICHE CIVILTÀ
A REGION THAT FACES THE SEA AND WAS HOME TO ANCIENT CIVILIZATIONS

Il lungomare di Reggio Calabria è stato definito "il più bel miglio d'Italia", le strade erte e tortuose, i paesini arroccati, i conventi isolati, i boschi e i laghi della Sila offrono il sorprendente aspetto montano della Calabria interna. Penisola della Penisola, estremità meridionale del continente europeo proteso verso il Mediterraneo, la Calabria è una regione dalle molteplici risorse.

Accanto alla bellezza della natura, si "scoprono" tesori come i Bronzi di Riace, i due fantastici atleti greci esposti nel Museo di Reggio Calabria. Diverse epoche, dalla colonizzazione greca all'età barocca, hanno lasciato tracce importanti nell'arte di questa regione: tuttavia, la più originale stagione dell'architettura calabrese è legata alla dominazione dell'impero d'Oriente. Per due secoli, a cavallo dell'anno Mille, la Puglia, la Calabria e la Basilicata diventarono terre di Bisanzio. La presenza dei governatori ("basìlikoi") nella zona fu talmente forte da dare il nome alla Basilicata.

I bizantini non portarono solo leggi e amministrazione: vi fecero attecchire anche la religione orientale, attraverso il monachesimo. Dalle prime "lavre" arroccate sulle rupi delle Serre, dai cenobi rupestri scavati nelle gravine o dai piccoli monasteri perduti i monaci basiliani scesero verso zone più ospitali, fino ad affacciarsi verso lo Ionio. I riti dei monaci basiliani erano pur sempre espressione del nuovo dominatore venuto dall'Oriente, e si contrapponevano all'autorità dei vescovi locali. Per la convivenza tra i basiliani e le diocesi vescovili legate a Roma fu fondamentale l'opera di mediazione del calabrese Nilo da Rossano, morto quasi centenario in odore di santità nel monastero fondato a Grottaferrata. Proprio fra gli uliveti di Rossano, affacciati verso la piana di Sibari, e nelle vicine propaggini della Sila Greca si formò intorno al Mille una specie di "Monte Santo" del monachesimo basiliano: grotte trasformate in cappelle, il culto dell'immagine della Vergine "achiropita", ossia non dipinta da mano umana, oggi nella cattedrale della cittadina, romitaggi e monasteri.

Il monumento più caratteristico di Rossano è la chiesa di San Marco, una costruzione cubica sormontata da cinque cupolette, con un semplice ma raffinato interno diviso in tre navate. Le medesime proporzioni, con il gioco geometrico tra linea retta e curva, sono proposte dalla celebre "Cattolica" di Stilo. Ne accresce il fascino il confronto con la chiesa del monastero di San Giovanni Vecchio, affondato nei boschi che lambiscono Stilo, costruito alla fine dell'XI secolo, uno dei primissimi edifici calabresi in cui si riconoscono le linee architettoniche importate dai nuovi signori, i Normanni.

Santa Maria del Pàtire, fra Corigliano e Rossano, fondato all'inizio del XII secolo, quando il Meridione era passato dal dominio bizantino a quello normanno, era il più importante fra i monasteri calabresi: oggi è una scenografica rovina. La sua floridezza si rispecchia nell'esuberanza ornamentale della chiesa, con un pavimento a mosaici di larghe tessere che raffigura un bestiario medievale misto di realtà e di fantasia. A partire dal XV secolo, tutto il complesso si avviò verso l'oblio. Anche della grande chiesa di Santa Maria della Roccella non rimane che un rudere rosseggiante. Si trova a Catanzaro Marina, in perfetta solitudine, tra gli ulivi e le cicale, nei pressi dell'antica *Scolacium*. Quanto resta reca tuttora la testimonianza di un geniale tentativo di fusione tra le grandiose forme normanne e quelle bizantine, un complesso architettonico e un sito naturale di poetica suggestione.

Reggio Calabria's seaside has been called "Italy's most beautiful mile." In the interior of Calabria, steep and winding roads, small towns built atop rocks, isolated convents and Sila's woods and lakes comprise the region's less well-known mountainous side. Calabria is a peninsula jutting into the Mediterranean off of a larger peninsula. This region of many faces is also the southernmost point on the European continent.

In addition to the region's natural beauty, there are treasures to be enjoyed, such as the Riace Bronzes, the two fabulous Greek athletes exhibited in the Museum of Reggio Calabria. Various eras, from the Greek colonies to the Baroque period, left major marks on the region, but the Byzantine Empire was the high point for architecture in Calabria. For two centuries bridging the year 1000, Apulia, Calabria and Basilicata were part of the Byzantine Empire. Indeed, Basilicata gets its name from the heavy presence of governors (called *basìlikoi*) in the area.

The Byzantines did not just bring law and order to the area: They also laid the foundations for eastern religion through monasticism. The earliest *lavras* were built on the cliffs of the Calabrian Serre, then cenobite dwellings were carved out of rock in the ravines and small monasteries were built in isolated areas. The monks dedicated to Saint Basil the Great kept moving down in search of more welcoming areas until they reached the Ionian Sea. The rites of these Basilian monks were an expression of the new dominant force from the east, and they went against the authority of the local bishops. Nilus of Rossano, who would live to almost one hundred years of age in the monastery in Grottaferrata, was a crucial force in mediating between the Basilians and the dioceses with ties to Rome. Around the year 1000, a sort of "Holy Mountain" for Basilian monks was created amid the olive groves of Rossano, which face the Sibari Plain, and in nearby Scylla. This consisted of grottoes turned into chapels where the image of the Madonna Achiropita, meaning that she was not painted by human hand, was worshipped. Today, this religious tradition lives on in the town's cathedral and nearby retreats and monasteries.

The most significant building in Rossano is the Church of Saint Mark, a cube-shaped building with five small domes and a simple but elegant interior with three aisles. The famous Cattolica of Stilo church is similar in size and also has a geometric design with straight lines and curves. It serves as an interesting comparison to the church in the monastery of Saint John the Elder, deep in the woods that encase Stilo. Built in the late 11th century, it was one of the first buildings in Calabria to reflect the architectural influence of what was then the new order, the Normans.

Santa Maria del Pàtire, between Corigliano and Rossano, was one of Calabria's great monasteries and was founded in the early 12th century, after the South had passed from Byzantine to Norman hands. Today it is a picturesque ruin. The area's booming economy at the time is reflected in the detailed ornamentation of the church, including a floor with large-tile mosaics of a party realistic and partly fantastic Medieval bestiary. In the 15th century, the complex began to fall apart. All that remains of the Church of Santa Maria della Roccella in Catanzaro Marino, too, are reddish ruins. This church is completely isolated amid olive groves and the chirping of cicadas near ancient Scolacium. The little that does remain, however, provides evidence of an attempt to merge the large forms of Norman architecture with Byzantine themes, resulting in a poetically evocative structure and natural setting.

A FIANCO: IL PRIMO PIANO DI UNO DEI DUE ATLETI MOSTRA L'APPASSIONANTE QUALITÀ ESECUTIVA DEI CELEBERRIMI "BRONZI DI RIACE", RECUPERATI DA UN RELITTO DI NAVE ROMANA CHE LI TRASPORTAVA COME "BOTTINO" DESTINATO AL MERCATO ANTIQUARIO O A QUALCHE RICCO ROMANO. CONSERVATE NEL MUSEO ARCHEOLOGICO DI REGGIO CALABRIA, LE DUE STATUE RAPPRESENTANO UNA DELLE PIÙ ECCEZIONALI SCOPERTE DELL'ARCHEOLOGIA MODERNA. CAPOLAVORI DELLO "STILE SEVERO" (V SECOLO A.C.), MOSTRANO UN'ASSOLUTA SICUREZZA NELL'INTERPRETAZIONE DELLA REALTÀ E UNA DIMENSIONE "DIVINAMENTE UMANA", CHE RIFLETTE LA CRESCENTE COSCIENZA DI SÉ DELL'UOMO GRECO.

OPPOSITE: THIS CLOSE-UP OF ONE OF THE TWO STATUES OF ATHLETES KNOWN AS THE "RIACE BRONZES" HIGHLIGHTS THEIR INCREDIBLE QUALITY. THE STATUES WERE RECOVERED FROM A SHIPWRECK INVOLVING A ROMAN VESSEL THAT WAS CARRYING "LOOT" DIRECTED TO MARKET OR PERHAPS TO SOME WEALTHY ROMAN. HOUSED IN THE ARCHEOLOGICAL MUSEUM OF REGGIO CALABRIA, THESE TWO STATUES ARE CONSIDERED ONE OF THE GREAT ARCHEOLOGICAL FINDS OF OUR TIME. MASTERPIECES OF THE EARLY CLASSIC STYLE (5TH CENTURY B.C.), THEY ABLY COMBINE REALISTIC DEPICTION AND THE "DIVINELY HUMAN" SIDE THAT REFLECTED GREEK MAN'S GROWING SELF-AWARENESS.

Sopra: La Cattolica di Stilo
In una posizione panoramica straordinaria, la Cattolica di Stilo è una nitida chiesa bizantina di mattoni, conclusa dalle canoniche cinque cupolette, cui fanno riscontro, all'interno, archi particolarmente slanciati su snelle colonne, quasi un omaggio al nome greco della cittadina, che significa appunto "colonna".
A fianco: Scilla
Il promontorio di Scilla, sormontato dal castello, si protende fra due spiagge. Citata da Omero insieme all'opposta Cariddi (sulla costa siciliana), Scilla è la mitica punta estrema della penisola italiana.

Above: Cattolica of Stilo
The Cattolica of Stilo, a brick Byzantine church, is blessed with incredible views. The church is topped with five small domes, echoed in the interior by very narrow arches separated by narrow columns that seem like an homage to the city's name, "column" in Greek.
Opposite: Scilla
Scilla's promontory, topped with a castle, protrudes between two beaches. Homer wrote of both Scilla (Scylla in Greek) and Charybdis (on the Sicilian coast). Scilla sits at the very tip of mainland Italy.

Sopra: Il paesaggio tra rocce e mare
Penisola appuntita, la Calabria scende fra il Tirreno e lo Ionio. La costa frastagliata vede una continua alternanza tra spiagge sabbiose e rocce a picco, che sembrano sorgere direttamente dalle acque limpidissime.
A fianco: Le Castella
Sul golfo di Squillace, affacciato sullo Ionio, sorgono i ruderi della rocca aragonese chiamata Le Castella, su un isolotto litoraneo collegato al mare da un passaggio sopraelevato.

Above: Rocky Coast and Sea
Calabria, a peninsula that comes to a point, divides the Tyrrhenian Sea from the Ionian Sea. Along the jagged coastline in this area, sandy beaches alternate with sharp rocks that seem to rise right up out of the clear water.
Opposite: Le Castella
The Gulf of Squillace, which faces the Ionian Sea, is home to the ruins of the Aragonese fort known as Le Castella, which sits on a small island connected to the beach by an elevated walkway.

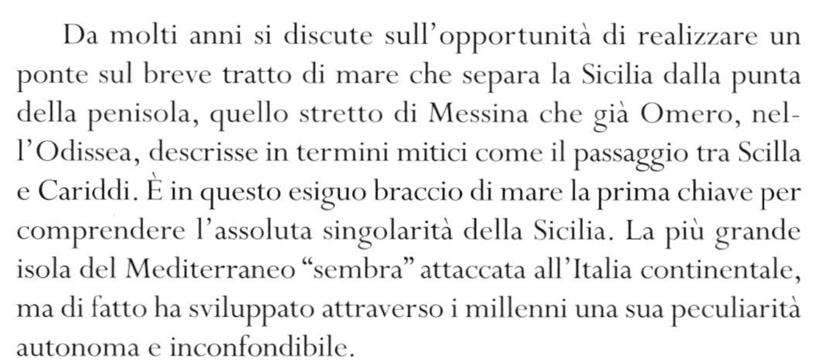

SICILIA - SICILY

IL GIARDINO DELLA STORIA
HISTORY'S GARDEN

Da molti anni si discute sull'opportunità di realizzare un ponte sul breve tratto di mare che separa la Sicilia dalla punta della penisola, quello stretto di Messina che già Omero, nell'Odissea, descrisse in termini mitici come il passaggio tra Scilla e Cariddi. È in questo esiguo braccio di mare la prima chiave per comprendere l'assoluta singolarità della Sicilia. La più grande isola del Mediterraneo "sembra" attaccata all'Italia continentale, ma di fatto ha sviluppato attraverso i millenni una sua peculiarità autonoma e inconfondibile.

Per la sua posizione geografica, la Sicilia è davvero il punto chiave delle rotte mediterranee, e per secoli è stata considerata una delle zone più fertili dell'intera Europa meridionale: non ci può stupire se la storia siciliana è un continuo susseguirsi di dominazioni, di conquiste, di battaglie, dai tempi delle antiche colonie greche alle imprese dei mille garibaldini nel Risorgimento italiano, fino allo sbarco delle truppe alleate anglo-americane nel 1943, svolta decisiva della Seconda Guerra Mondiale. Fenici, greci, romani, bizantini, arabi, normanni, angioini, aragonesi, spagnoli, borbonici: una lista di dominazioni che si sono succedute una dopo l'altra, e che apparentemente sembra non lasciare spazio a una autentica cultura locale: invece, l'essenza più vera della Sicilia consiste proprio nella continua capacità di recepire, rielaborare, mescolare popoli e civiltà, e di tradurne le caratteristiche in una forma nuova. Le drammatiche, attualissime vicende delle migrazioni sul mare e degli approdi a Lampedusa o sulle coste meridionali dell'isola sembrano confermare ancora una volta questo ruolo, aprire forse una nuova pagina nell'"identità" della Sicilia.

Riannodando indietro il nastro del tempo, si può tornare alle città greche come Agrigento, Siracusa, Selinunte, Segesta, Taormina: nate come colonie, ma diventate ben presto straordinari e autonomi centri di potere, di arte e di filosofia. L'architettura dorica, solida, solenne, appare incastrata in modo meravigliosamente naturale nei più diversi contesti paesaggistici: una valle di mandorli, le pareti intagliate di una montagna, un'isola protesa sul porto.

Quasi soffocata da luoghi comuni, Palermo rischia di non essere percepita per quello che è: una delle più belle capitali del Mediterraneo, uno scenario di meraviglie che avvince e stupisce, nel cielo e nella luce della Conca d'Oro, nei colori della Vuccirìa, nei riflessi del mare, nell'ambiente della natura e delle tradizioni che la rendono unica e struggente.

Nei momenti più alti della sua lunga storia, Palermo ha saputo giocare un ruolo particolarissimo di fusione tra popoli e tradizioni diverse, come nel caso, veramente unico, dello stile arabo-normanno. La stagione più straordinaria dell'intera storia siciliana si apre nell'anno 831, con la conquista degli Arabi, prosegue con l'avvento dei Normanni (1072) e si conclude a metà del Duecento, con la cacciata dei musulmani da parte dell'imperatore Federico II di Svevia, cresciuto a Palermo. Durante questi quattro secoli, caratterizzati dall'armonico passaggio di consegne dall'Islam al re normanno, Palermo si riveste di un mantello di inestimabili tesori artistici, che non riguardano solo la città, ma raggiungono Monreale e Cefalù. Ci sarebbero da scrivere pagine e pagine su Antonello da Messina, sul barocco ibleo, sulla presenza dell'Etna e delle città che contornano il grande vulcano, la montagna di fuoco e di neve, sulle saline e sulle cantine di Trapani e Marsala, sull'inaspettata presenza del *liberty* tra i giardini botanici e i viali alberati di una Palermo insolita... ma è meglio lasciar parlare gli antichi linguaggi di un'isola unica.

For many years, there has been discussion of building a short bridge across the stretch of sea separating Sicily from the tip of mainland Italy—the Strait of Messina, which in *The Odyssey,* Homer described in mythical terms as the passageway between Scylla and Charybdis. This narrow bit of water is key to understanding how completely unique Sicily is. This island, the largest in the Mediterranean, seems to be attached to mainland Italy, but actually over thousands of years it has developed its own independent and wholly unique identity. Due to its geographic position, Sicily is a crucial passageway to many parts of the Mediterranean, and for centuries it was considered one of the most fertile areas of all of southern Europe. So it's no surprise that the history of Sicily is a history of domination and conquest and unending battles. Sicily has seen everything from ancient Greek temples with imposing columns to the Expedition of the Thousand under Garibaldi during the Risorgimento to the arrival of the Allied British and U.S. troops in 1943, the turning point in World War II. Phoenicians, Greeks, Romans, Byzantines, Arabs, Normans, Angevins, Aragons, Spaniards and Bourbons—all have ruled Sicily, one after the other. Given its history, it might seem as if Sicily hasn't had a chance to develop its own authentic local culture, but that's not true. Sicily's spirit can best be described as a constant ability to receive, rework and mix populations and civilizations and translate their characteristics into new form. The current dramatic events surrounding immigration via sea and the landings on Lampedusa and along Sicily's southern coast are setting the island up to play this role once again and may turn the page on yet another new identity for Sicily.

If we rewind the tape and travel back in time in Sicily, we can visit Greek cities such as Agrigento, Syracuse, Selinunte, Segesta and Taormina. They were founded as Greek colonies, but they soon became veritable centers of power, art and philosophy. Solid and solemn Doric architecture seems to spring from nature in a variety of landscapes: a valley of almond groves, the craggy slopes of a mountain, an island close to port.

Palermo is the subject of so many clichés that you might risk missing out on what it truly is: one of the most beautiful capital cities in the Mediterranean and a world of wonders that never cease to win you over and amaze you. Palermo's sky and the light in the Conca d'Oro valley, the city's colorful Vuccirìa market, the city's reflection in the water and its environment and natural surroundings and traditions make it unique and fascinating.

At key moments in Palermo's long history, the city managed to bring together different peoples and traditions. One notable example is the Arab-Norman style. Perhaps the most extraordinary time in the entire history of Sicily began in the year 831, when it was conquered by Arabs, followed by the arrival of the Normans in 1072. The period came to an end when, in the mid-1200s, Emperor Frederick II of Swabia, who had grown up in Palermo, chased Muslims off the island. Those four centuries were characterized by peaceful exchanges between Muslims and the Norman king. During that time, Palermo came to be cloaked in priceless artworks, not just in the city center, but all the way out to Monreale and Cefalù. There are pages and pages to be written about Antonello da Messina, the Hyblaean Baroque, Mount Etna and the cities around that great volcano with its smoke and snow, the salt pans and vineyards of Trapani, the surprise of Liberty-style buildings among the botanical gardens and tree-shaded streets of Palermo. This unique island is best understood through its own ancient tongues.

A FIANCO: UNA VEDUTA DEL TEATRO ROMANO DI TAORMINA CON L'ETNA INNEVATO SULLO SFONDO.

OPPOSITE: A VIEW OF THE ROMAN THEATER OF TAORMINA WITH SNOW-CAPPED MOUNT ETNA IN THE BACKGROUND.

A fianco: Palermo, la chiesa di San Giuseppe dei Teatini
Nel centro storico di Palermo spuntano le cupole tondeggianti delle grandi chiese seicentesche: quella di San Giuseppe dei Teatini presenta un vivace rivestimento in ceramiche gialle e verdi. La chiesa segue l'asse rettilineo di via Maqueda, aperta nell'anno 1600 e caratterizzata, al centro, dai *Quattro Canti*, punto di snodo dell'intero sistema urbanistico della città storica.
Sopra: Palermo, la fontana di Piazza Pretoria
La grande Fontana Pretoria, vasta struttura circolare rinascimentale con gradini e statue realizzata da due scultori fiorentini, smontata e trasportata pezzo per pezzo a Palermo nel 1575, è uno spettacolare intervento urbano nel cuore di Palermo: occupa in pratica l'intero spazio della piazza su cui sorge il municipio cittadino.

Opposite: Palermo, Church of San Giuseppe dei Teatini
Rising out of the historic center of Palermo are the rounded domes of several great 17th-century churches. The Church of San Giuseppe dei Teatini is one of the more recognizable with its yellow and green ceramic finish. The church falls along the straight line of Via Maqueda, constructed in the year 1600. At the center of the street sits the Quattro Canti, or the Four Corners, the bull's eye in the middle of the city's busy historic center.
Above: Palermo, Piazza Pretoria Fountain
The Pretoria Fountain, a large, circular Renaissance structure with steps and statues, was created by two Florentine sculptors, then dismantled and brought in pieces to Palermo in 1575. It is one of the most spectacular sights in the urban heart of Palermo. It takes up almost the entire piazza where the city hall building is located.

SOPRA: MODICA
Alta su una ampia scalinata, la Chiesa Madre di Modica è una delle più note scenografie del barocco siciliano e il capovolavoro del geniale architetto Rosario Gagliardi. Sfruttando con abilità il gioco chiaroscurale tra aperture e strutture portanti, la facciata si organizza intorno a una parte centrale a tre piani, una torre fiabesca vagamente convessa, fasciata da gruppi di colonne, aperta da profonde finestre, scandita da elegantissime balaustre.
A FIANCO: NOTO
Con il suo stile barocco dal carattere solare e floreale, Noto offre uno dei centri storici più armonici della Sicilia. Costruita dopo un terremoto a partire dal 1693, la cittadina si sviluppa lungo il dritto rettifilo di corso Vittorio Emanuele, che si allarga a intervalli regolari nei bellissimi scenari delle piazze inclinate. Sulla piazza principale, dalle movimentate scalinate, si fronteggiano palazzo Ducezio (1746), opera dell'architetto Vincenzo Sinatra, e il Duomo, caratterizzato da una maestosa facciata a due ordini sovrapposti di colonne a tutto tondo, affiancata da due torri campanarie coperte a cupola.

ABOVE: MODICA
Perched atop a steep and long stairway, Modica's main cathedral is one of the best examples of Sicilian Baroque style and is considered the finest work of esteemed architect Rosario Gagliardi. The building plays ably with shadows and light through openings and weight-bearing structures The façade has a central section and is three stories high. The slightly convex fanciful tower is decorated with several series of columns and features deep-set windows set off with elegant balustrades.
OPPOSITE: NOTO
Noto's sunny and floral Baroque historic center is one of the most charming in Sicily. Rebuilt beginning in 1693 after an earthquake, this small city developed along the straight line of Corso Vittorio Emanuele, which meets up with lovely sloped piazzas at regular intervals. In the main piazza, a staircase leads to the Ducezio Palace (1746), designed by architect Vincenzo Sinatra, and the town's main cathedral, which has an imposing façade with two groups of round columns, flanked by two bell towers, each with its own dome.

SOPRA E A FIANCO: L'ETNA E TAORMINA
L'Etna, l'alto vulcano attivo della Sicilia, è di continuo sovrastato da un pennacchio di fumo e ogni tanto entra in eruzione emanando gas per continuare con la fuoriuscita di cenere vulcanica cui fa seguito un magma abbastanza fluido. Dalle sue pendici si può godere di una suggestiva vista sul mare sino alle isole Eolie e al golfo di Taormina. Importante centro turistico, quest'ultima è ammirata per la sua incantevole integrazione al paesaggio naturale, per il mare limpido ma anche per lo spettacolare sito archeologico. Qui vi sono conservati i resti di un teatro che dopo quello di Siracusa è il più grande dei teatri di origine greca ancora esistenti in Sicilia. La città di Taormina ebbe anche un secondo teatro, ma molto più piccolo: l'Odeon romano, situato dietro la chiesa di Santa Caterina. Particolarità di queste rovine è che oltre all'orchestra – la parte centrale – e la cavea – le gradinate su cui si sedevano gli spettatori – è rimasta in piedi anche una parte della scena, la zona dove recitavano gli attori.

ABOVE AND OPPOSITE: ETNA AND TAORMINA
Etna, Sicily's tall active volcano, always has a plume of smoke at the top, and every once in a while an eruption occurs and gas emerges, followed by volcanic ash and then fairly fluid magma. From the slopes of the volcano, you can take in magnificent views of the sea all the way to the Aeolian islands and the Gulf of Taormina. Taormina is a major tourist attraction that is beautifully integrated into its natural surroundings along the clear blue sea; it is also graced with a fantastic archeological site that contains the ruins of the second largest Greek theater remaining in Sicily, after the theater in Syracuse. Taormina has a second, much smaller theater, as well: the Roman Odeon, located behind the Church of Santa Caterina. What's special about this site is that not only have the central orchestra section and the stairs where spectators sat remained intact, but a part of the stage where the actors performed has also survived.

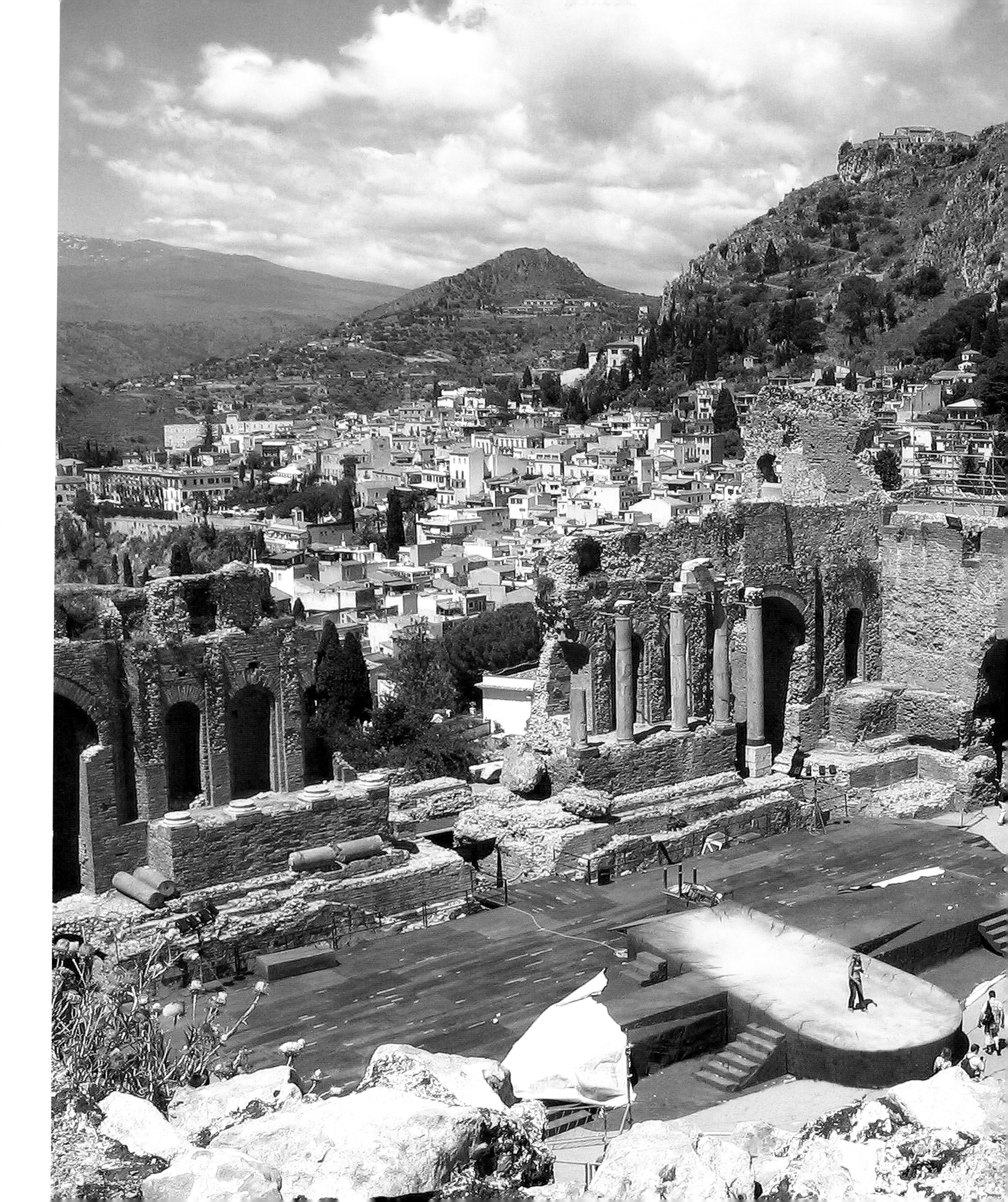

Agrigento
Fondata dai Greci nel 581 a.C. con il nome di Akragas, Agrigento è stata una delle più fiorenti colonie della Magna Grecia. La città medievale e i quartieri moderni si trovano sulla parte alta della collina, lasciando isolata e solitaria la Valle dei Templi, a mezza costa, fra i mandorli e il mare. La passeggiata si snoda tra straordinari resti greci, antiche chiesette costruite all'interno di edifici classici, scorci panoramici verso il sud, colossali rovine abbattute (fra cui quelle dell'immenso Tempio di Giove Olimpio, il più grande tempio dorico mai realizzato), e si conclude di fronte all'intatto colonnato e al frontone del Tempio della Concordia.
A fianco: Agrigento, il Tempio della Concordia
Il cosiddetto Tempio della Concordia ad Agrigento, straordinariamente ben conservato, è un raffinato esempio dell'archietttura greca a metà del V secolo a.C.
Sopra: Agrigento, il Tempio di Castore e Polluce
Quasi all'inizio della passeggiata archeologica di Agrigento, il gruppo di colonne superstiti del Tempio di Castore e Polluce si staglia sui resti del gigantesco Tempio di Giove Olimpio, completamente abbattuto.

Agrigento
Founded by the Greeks in 581 B.C. as *Akragas,* Agrigento was a booming colony of Magna Graecia. The Medieval portion of the city and its modern areas are located high on a hill. The Valley of the Temples is separated from the city and stands alone, halfway between almond groves and the sea. A tour of the area leads visitors past extraordinary Greek ruins, ancient temples built inside classical buildings, panoramic views to the south, enormous crumbling ruins (including the immense Doric-style Temple of Jupiter, which was never completed) and ends in front of the Temple of Concordia with its fully intact portico, columns and pediment.
Opposite: Agrigento, Temple of Concordia
The so-called Temple of Concordia in Agrigento is extremely well-preserved and a stellar example of Greek architecture from the mid-5th century B.C.
Above: Agrigento, Temple of Castor and Pollux
Close to the entrance to the archeological park in Agrigento, the surviving columns of the Temple of Castor and Pollux stand out against the remains of the gigantic Temple of Jupiter Olympic, which fell in its entirety.

Trapani, le saline
Il basso litorale e le lagune costiere nei dintorni di Trapani, all'estremità occidentale della Sicilia, favoriscono da millenni l'attività delle saline. Tra i bassi specchi d'acqua, i mulini a vento, e le candide montagne di sale il paesaggio sembra essersi cristallizzato in un tempo arcaico, quasi irreale.

Trapani: Salt Pans
The low coast and coastal lagoons around Trapani, at the far west of Sicily, have encouraged salt production for millennia. The landscape with shallow reflecting pools of water, windmills and brilliantly white mountains of salt looks frozen in time, possibly in some other dimension.

Sardegna - Sardinia

I nuraghi davanti al mare
Nuraghes and the sea

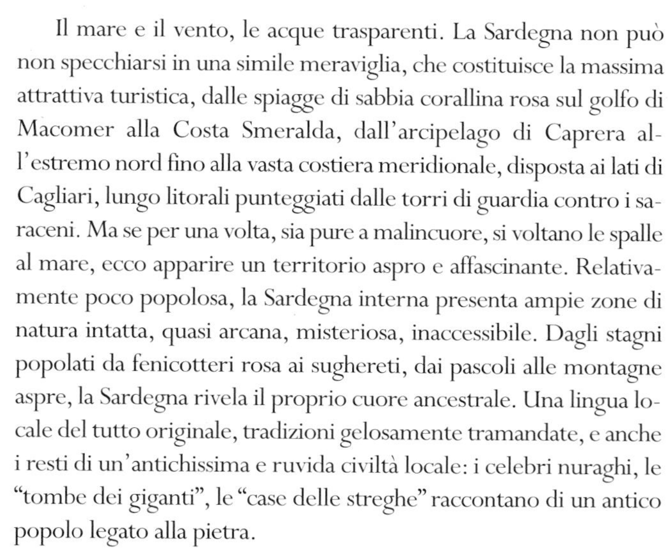

Il mare e il vento, le acque trasparenti. La Sardegna non può non specchiarsi in una simile meraviglia, che costituisce la massima attrattiva turistica, dalle spiagge di sabbia corallina rosa sul golfo di Macomer alla Costa Smeralda, dall'arcipelago di Caprera all'estremo nord fino alla vasta costiera meridionale, disposta ai lati di Cagliari, lungo litorali punteggiati dalle torri di guardia contro i saraceni. Ma se per una volta, sia pure a malincuore, si voltano le spalle al mare, ecco apparire un territorio aspro e affascinante. Relativamente poco popolosa, la Sardegna interna presenta ampie zone di natura intatta, quasi arcana, misteriosa, inaccessibile. Dagli stagni popolati da fenicotteri rosa ai sughereti, dai pascoli alle montagne aspre, la Sardegna rivela il proprio cuore ancestrale. Una lingua locale del tutto originale, tradizioni gelosamente tramandate, e anche i resti di un'antichissima e ruvida civiltà locale: i celebri nuraghi, le "tombe dei giganti", le "case delle streghe" raccontano di un antico popolo legato alla pietra.

Passata attraverso le dominazioni dei fenici e dei romani, l'antica civiltà dei nuraghi si è inabissata nella storia, non senza lasciare un'eredità nella lavorazione della pietra. Ne è una diretta testimonianza la stagione del romanico, forse il momento più significativo dell'architettura sarda. Tra l'XI e il XIII secolo i muratori del Lugodoro, della Gallura, del Sassarese ritrovano l'orgoglio e il coraggio dei loro antenati, costruttori di nuraghi. Pietra dopo pietra, levigando ogni sasso, studiando soluzioni tecniche e decorative, gli architetti e i manovali del romanico propongono decine di chiese del tutto diverse fra loro, eppure imparentate da un comune senso di concretezza, di energia tarchiata e non priva di una sua spigolosa, quasi dialettale solennità. In varie zone dell'isola, soprattutto centri piccoli e piccolissimi, o perfino remoti angoli di aperta campagna sorgono belle chiese romaniche, in cui gli influssi pisani e genovesi si uniscono alla solida struttura dello stile avviato dai capimastri lombardi. Le chiese romaniche sarde non raggiungono solitamente le dimensioni delle maggiori cattedrali del litorale continentale, ma nella varietà delle soluzioni e nella raffinatezza della tecnica costruttiva portano una nota locale forte e autonoma. La decorazione è un lusso raro: la più frequente condizione del romanico in Sardegna è la solitudine, un sentimento che ricorre spesso nel paesaggio dell'isola. Spesso, anzi, si crea un sodalizio perfetto, quasi un'osmosi fra forme, colori e materiali della natura e dell'architettura: come nel caso delle favolose rocce e degli scogli modellati dal vento, alcune chiese romaniche della Sardegna crescono sulle rocce, sui prati, fra i campi come per una germinazione spontanea, potente e naturale al tempo stesso.

Naturalmente, non mancano importanti chiese romaniche anche nel cuore dei capoluoghi: ma sempre con una certa ritrosia. È il caso della straordinaria chiesa dei Santi Cosma e Damiano (meglio nota come San Saturnino) a Cagliari. Per questo singolarissimo edificio bisogna fare un passo indietro nel tempo, e tornare ai primi secoli del Cristianesimo. La chiesa è probabilmente del V secolo, e presenta una robusta struttura cubica, quasi la cupola di un nuraghe, in seguito ampliata con una navata romanica. Un monumento di grandissimo fascino, dove la luce gioca un ruolo decisivo nel coinvolgere il fedele all'interno di uno spazio insolito, scabro ed elegante insieme. Un altro gioiello segreto che la Sardegna offre a chi ha la pazienza di cercare le tracce molteplici di una civiltà gelosa.

The sea, the breeze, the crystal-clear waters—Sardinia can't fail to inspire these images. Its major tourist attractions are the pink coral sand beaches along the Gulf of Macomer, the Emerald Coast and the Caprera archipelago to its north, as well as the beaches that stretch along the southern coast, on either side of Cagliari, along a shoreline dotted with watchtowers that were used to keep watch for the Saracens. But if you tear yourself away from this vision and turn your back to the sea, you'll discover a harsh and fascinating land. The interior of Sardinia has a relatively small population. Its well-preserved natural areas seem almost mystical and untouched by human hands. From the ponds populated by pink flamingoes to its cork plantations, from its pastures to its steep mountains, Sardinia wears its ancient heart on its sleeve. The local dialect is a wholly original language; traditions have been handed down from generation to generation. Even the ruins of the ancient and rough local civilization are still here in the form of the famous Nuraghes, the "tombs of the giants" and "witches' houses" that stand as testimony to an ancient people with a deep familiarity with the local stone.

After being dominated by the Phoenicians and the Romans, the ancient civilization of the Nuraghes was practically lost to history, though it did leave a legacy of stonework on the island. The Romanesque era references the Nuraghes very directly and was perhaps the most important era in Sardinian architectural history. From the 11th to the 13th centuries, the stone workers of Lugodoro, Gallura and Sassarese dug deep and, with great pride, built on the work of their forefathers, who had created the Nuraghes. Working stone after stone, each one polished individually, they invented technical and decorative solutions. The architects and builders in that later era created dozens of churches, each one unique, yet all of them sharing the same feeling of stability and energy and each with its own somber spirit. In various parts of the island, especially in the small towns, some of them tiny, and in the far corners of the open countryside, there are Romanesque churches that combine the influences of artists from Pisa and Genoa with the solid structures first created by Lombard masters. Sardinian Romanesque churches are not usually as large as the major cathedrals on the mainland, but the variety of solutions used and the refined nature of the construction techniques created a strong and unique local style. Ornamentation is rare here: The most common Romanesque touch in Sardinia is a feeling of solitude, a feeling that runs through the island as a whole. Often there is a perfect match of shape, color and materials between nature and architecture—almost a form of osmosis. This is the case for the fabulous rocks and shoals sculpted by the wind. Some of Sardinia's Romanesque churches stand atop rock formations or sit in meadows and fields, as if they were planted there. They look spontaneous, powerful and natural all at once.

There are also major Romanesque churches in the island's cities, but they always seem a little subdued. That's true of the extraordinary church Santi Cosma e Damiano (better known as San Saturnino) in Cagliari. This unique building helps visitors travel through time back to the early centuries of Christianity. The church probably dates to the 5th century, and it was later enlarged with the addition of a Romanesque aisle. The building is cube-shaped. It looks something like one of the Nuraghes with a dome on top. It's a fascinating building, and the play of light is crucial to drawing the faithful into this unusual space, a place that is both rough and elegant. It's another hidden jewel that Sardinia makes available to you if you take the time to follow the many traces of its closely guarded civilization.

A fianco: La Sardegna offre molti spunti di grande interesse: ma non c'è dubbio che la sua immagine rimanga saldamente legata alla meraviglia delle coste, continuamente mosse e frastagliate, con fondali che colorano il mare cristallino, di una limpidezza che ha davvero pochi uguali nel mondo.

Opposite: Sardinia has many beautiful views, but its image is permanently tied to its beautiful coastline, alternately curvy and jagged. Its coast is graced with some of the clearest water in the world, so that the colors of the sea floor below are visible.

Sopra: Cagliari
La ripida collina fortificata su cui si trovano la Cattedrale di origine romanica, il castello con i musei, le porte a torre e l'università è il cuore antico di Cagliari. Le vie strette della città alta sembrano precipitare verso i bastioni panoramici. Al di sotto, si distende la città moderna, affacciata sul porto: un contesto urbano vario, movimentato e vitale, in cui l'antico e il nuovo, la tradizione isolana e l'apertura internazionale si fondono continuamente.
A fianco: Bosa
L'imponente castello di Serravalle, eretto dai Malaspina nel XII secolo, domina l'abitato di Bosa, la bella cittadina medievale distesa lungo la foce navigabile del fiume Terno. Dalla costa della collina le coloratissime e regolari case di Bosa scendono verso il fiume.

Above: Cagliari
Cagliari's Romanesque cathedral sits atop a hill, as do its castle with its museums, gates with towers and the university, all in the ancient part of Cagliari. The city's narrow streets seem to tilt toward its ramparts with their beautiful views. The modern city sits below, next to the port. Overall, Cagliari is a varied, lively and vital city, and one where the ancient and the new, island traditions and an international air, are constantly mingling.
Opposite: Bosa
The imposing castle of Serravalle, built by the Malaspina family in the 12th century, dominates the town of Bosa, a lovely small Medieval town located along the navigable mouth of the Terno River. Bosa's colorful houses, packed closely together, lead down to the river.

SOPRA: I NURAGHI
Dall'età del ferro fino al II secolo d.C. la Sardegna ha sviluppato un'autonoma civiltà locale, legata alle altre culture megalitiche diffuse nel Mediterraneo (Malta, Micene, Creta), che ha lasciato ampie tracce sull'isola. La manifestazione più significativa e peculiare è rappresentata dai nuraghi, inconfondibili grandiose costruzioni di forma tronco-conica con pietre sistemate una sull'altra senza calce, ancora oggi considerate il simbolo della Sardegna. Il termine deriva dalla radice protosarda "nura" che significa "mucchio di pietre": sono disseminati in tutta la Sardegna, isolati oppure raggruppati fino a formare villaggi fortificati. Il tipo più diffuso è il nuraghe a *tholos*, una struttura conica che ospita all'interno una camera circolare sovrastata da una volta ogivale; alla sommità della torre emerge un terrazzo.
A FIANCO: L'ABBAZIA DI SACCARGIA
Dominata dall'alto campanile e preceduta da un profondo portico, la chiesa della Santissima Trinità di Saccargia, nel Sassarese, è la più celebre tra le numerose chiese romaniche della Sardegna. Il rivestimento a fasce bianche e nere è un segno distintivo dello stile "tirrenico" che accomuna le sponde liguri e toscane, la Sardegna e la Corsica. All'interno, l'abside è decorata da un grande e raro ciclo di affreschi.

ABOVE: NURAGHES
From the Iron Age to the 2nd century A.D., Sardinia had an autonomous local civilization that was linked to other megalithic cultures in the Mediterranean (Malta, Mycenae, Crete) and left its distinctive mark on the island. The most significant and unusual manifestation of that are the nuraghes—strange truncated conical buildings made of stone built without the use of mortar. Today, these buildings still represent Sardinia. The name nuraghe derives from the Sardinian *nura,* which means "group of stones." Nuraghes are found all over Sardinia, either in isolation or grouped together to form villages. The most common type of nuraghe is the *tholos,* a conical structure that inside has a circular room topped with a pointed vault. At the top of the tower there is a terrace.
OPPOSITE: SACCARGIA ABBEY
The Church of the Holy Trinity of Saccargia, in the Sassari area, is the best known of Sardinia's numerous Romanesque churches. It features a tall bell tower and a deep portico, as well as a black and white exterior, a sign of the distinctive "Tyrrhenian" style that buildings along the shores of Liguria, Tuscany, Sardinia and Corsica all share. The interior has an apse decorated with a large and rare cycle of frescoes.

CREDITI FOTOGRAFICI - PHOTO CREDITS

Tutte le fotografie provengono dell'archivio Shutterstock eccetto le seguenti:
© Cesare Gerolimetto, 6, 102-103
© Sassi Editore srl, 20, 34-35, 48-49, 50-51, 52-53, 96, 98-99, 100-101, 104, 105, 106, 107, 108-109, 110, 111, 148-149, 151, 160-161, 165.
© Lessing / Contrasto, 216
© Fotolia, 218

L'editore è a disposizione per eventuali aventi diritto non identificati.

Finito di stampare nel mese di agosto 2017 in Polonia.